ゴスロリ吸血少女†フェルチェル

カバー絵・口絵・本文イラスト■佐々木久美子《ささきくみこ》

BBN
B●BOY NOVELS

吸血鬼には向いてる職業

榎田尤利

この物語はフィクションであり、実在の人物・団体・事件等とは、いっさい関係ありません。

CONTENTS

吸血鬼には向いてる職業

《吸血鬼通り魔、現れる》

七月六日の午後十一時頃、東京都目黒《めぐろ》区の住宅街路上にて、会社員の初見郁恵《はつみいくえ》さん(26)が男に襲われる事件が発生した。

男は初見さんをナイフで脅して首に嚙《か》みつき、全治一か月の怪我を負わせたうえ逃走。目黒警察署では、通り魔事件として近隣の聞き込みにあたっている。

警察の発表によると、被害者の傷は小さな穴がふたつ並んだ状態で、ちょうど吸血鬼に嚙みつかれた痕《あと》に似ているとのこと。

男は、身長一八〇センチ前後、黒っぽい服装をして、黒い帽子のようなものを被《かぶ》っていた。

(七月八日/読朝新聞)

1

七月半ば、真夏日。

照りつける太陽は東京の街をこれでもかと熱し、外を歩いているだけで熱中症になりかねない一日だった。日が暮れたところで気温はさほど下がらず、コンクリートとアスファルトは溜め込んだ熱を吐き出し続ける。

午後八時、打ち合わせから戻ってきた新人編集者・野迫川藍《のせがわあい》は、エアコンから送られる冷風にホッとしつつも、室内に漂《ただよ》う異様な空気を感じ取っていた。

向談社《こうだんしゃ》ビルの五階、コミック誌『ジージンタ』編集部——編集長のデスク前に集まった三人は、背中を緊張させ、拳《こぶし》を固めている。

強く、それはもう強く。

手のひらに爪が食い込むほどに強く。

橈側手根屈筋《とうそくしゅこんくっきん》が攣《つ》れるほどに、強く。

「みなさん、どうしたんです?」

先輩編集者たちがハッとした顔で藍を振り返った。

彼らは無言のまま藍を見たのち、編集長へと視線を移動させる。

「……野迫川も、入れるか。新人だがうちの編集であることには変わりはない」

ぼそりと言ったのはベテラン編集長の落合《おちあい》だ。

編集者歴二十五年の落合は、作家がどれだけ無理を言おうが笑って受け流し、原稿がどれだけ遅れようがデンと構えていられる度量の持ち主である。ちなみに体格もデンとした巨漢で、社内でも一、二を争う体脂肪率を誇っている。

その落合が、珍しく苦渋に満ちた表情をして、部下たちを見つめていた。

藍は事情もわからないまま、四人目として輪の中に引きずり込まれる。落合は審判よろしく、拳を固めた輪には加わってはいない。

「あのですね、僕は非暴力主義でして」

「誰が殴り合いをすると言った。じゃんけんだ、じゃんけん」

すぐ横にいた久保田《くぼた》がそう教えてくれる。

じゃんけん？　だが、単なるじゃんけんにしては尋常な様子ではない。藍は事の次第を聞こうと思ったが、それより先に「最初はグー！」というかけ声がかかる。

全員で拳を前に出す。

藍を除く全員の気迫は、ただならぬものがあった。負けられない。この勝負だけは、負けてはならない——そんな念がひしひしと感じられる。まさしく真剣勝負だ。

「じゃんけん、ホイッ！」

中央に差し出された、四本の腕。

パーが二本、グーが一本、チョキが一本。

「アイコで、」

ひときわ緊張が高まる。

「ショッ！」

一瞬の静寂《せいじゃく》。

三人がパーで、ひとりがグー。

勝負は決まった。

勝利した三人は喜ぶというよりも、気抜けした様子だ。へなへなと椅子《いす》に座ったり、キャビネットに寄りかかってため息をついたりしている。

「セーフだ……これで……これで、幸福な家庭が守れる……」

三十七歳、妻も子もある久保田が呟《つぶや》く。

「よかった……これ以上シワとクマが増えたらどうしようかと……」

三十二歳、紅一点の桂木《かつらぎ》が上目遣《うわめづか》いで言う。

「せっかく治りかけた胃潰瘍《いかいよう》なんだ……薬漬けの日々はもうごめんだ……」

鳩尾《みぞおち》を押さえるのは二十七歳、顔色の悪い宮井《みやい》だ。机の上にはいつもガスターが置いてある。

「負けてしまいました」

藍はずり落ちかけた眼鏡を直し、自分の手を見る。雰囲気に気圧《けお》されて、ついそのまま出してしまった拳はつまり、グーである。

「じゃんけん弱いんですよ、昔から。……で、今のはなんのじゃんけんだったんです？　僕はなにをすればいいんでしょう？」

背広の上着を脱ぎながら聞いた。

コミックの編集者は比較的自由な服装が多いが、藍は年間を通してスーツを纏《まと》っている。入社して最初の一年は営業部門にいたため、慣れ親しんだ服装でもあるし、日々着ていく服をいちいち考えなくてすむので便利だ。藍にとって、スーツは制服に近い。重要なのは実用性で、洒落《しゃれ》ている必要はない。「せっかく小綺麗な顔に生まれてきたんだから、もっと見た目に構えばいいのに……」と、先輩の桂木にも何度か言われた。

でもいいのだ。スーツなんてどうでもいいのだ。

安売り店の吊《つる》しで充分だし、ネクタイも五百円くらいので構わない。ベルトも靴も合皮で満足。ブランドものなど、一切興味がないし、そんなところに金をかけるつもりもない。清潔感さえあれば、野暮《やぼ》ったくてオッケー。自宅では今でも高校時代のジャージを着ている。いいかげん膝《ひざ》の生地《きじ》が薄くなっているが気にしない。

だって藍はオタクなのだから。

マンガが好きで。とにかく好きで。

描くのではなくひたすらに読むのが好きで、すでに小学校の卒業文集で『将来はマンガ編集者になる』と宣言していた筋金《すじがね》入りだ。就職時の面接試験では好きなマンガを挙げろと言われ、息つく間もなく三十タイトルを羅列し、その解説を滔々《とうとう》と始めた。面接会場は野迫川藍の独演会場に変わり、別室で待っていた次の面接者は、いつまでたっても自分の名前が呼ばれず、ずいぶん不安になったという。約三十分後、面接官が「頼むからもう勘弁してくれ」と頭を下げた経緯は、すでに社内の伝説になりつつある。

藍は決して、排他的なオタクではない。

オタクゆえのマイペースさはあるものの、礼儀正しく、社会人としての常識もそこそこ備えている。オタクを恥じる気持ちはなく、一オタクとして社会に参加、貢献していく人生を目指しているのだ。だからこそ、自分の本領が発揮できる職種を選び、出版社に就職した。

入社後、営業に配属されてからも、マンガ編集者を諦《あきら》めはしなかった。なにしろオタクなのでしつこ……もとい、粘《ねば》り強い。

編集部に行きたい旨《むね》を、あの手この手で人事部にアピールし続けた。懇願のメールは半年で百通を超え、社内では人事部長を見るたびに追いかけ回した。頭髪にいささかの懸念《けねん》がある人事部長に「おまえが夢に出てきて、マンガ編集にさせないと、髪の毛を抜くぞと脅《おど》すんだ……」とまで言わせしめ、この春めでたく『月刊ジージンタ』編集部に異動となったわけである。

ちなみにジージンタとは中国語で、急進的な、という意味だ。

購買層は十代から三十代までと幅広く、男性読者が多いと推測されている。向談社の中では比較的新しいコミック誌で、大御所を数人押さえている他に、個性的な新人の発掘にも力を入れており、藍にとっては一番望ましい職場であった。

「……まさかおまえが負けるとはなあ」

出っ張った腹をさすって、落合編集長が気の毒そうな顔をする。勝者の三人も、いささかばかり気まずい顔だ。

「新人に押しつけることになるなんて……」

「きっといつかはこんな日が来たのよ……」

「鉄は熱いうちに打てと、少佐も言っているしな……」

「エーベルバッハ少佐ですね」

宮井の呟きに、藍はすぐ反応した。あらゆるマンガを愛するゆえ、少女マンガにも造詣《ぞうけい》が深いのだ。だが、マンガ好きが揃《そろ》っているはずの先輩編集たちはノリが悪く、憐《あわ》れむような目を藍に向けるばかりだった。

「えー、野迫川藍くん」

落合に呼ばれ、はいと答える。

「本日より、黒田《くろだ》先生の担当をお願いします」

「え」

黒田？

黒田瑞祥《ずいしょう》？

その名を聞いた途端心拍が上昇し、頬《ほお》が火照《ほて》るのを自覚する。整った細面《ほそおもて》で、表情に乏《とぼ》しい能面顔と評される藍には珍しい現象だ。

黒田瑞祥といえば『月刊ジージンタ』の看板作家である。

大好評連載中の『ゴスロリ吸血少女Ψちゅるちゅる』は、ゴスロリ衣装に身を包んだ、十四歳（外見は）の吸血鬼チュルが主人公だ。

チュルは人間の同意のもとに血液を提供されている【共存型吸血鬼】であり、ごく普通の高校生ショータと恋に落ちてしまう。恋愛要素を中心に物語は動くが、一方で人間を襲う【好戦型吸血鬼】たちが繰り広げる残酷シーンなど、ただのラブコメでは収まらない怪作だ。この一年で急激に人気が高まったが、藍は連載開始当時から注目し続けていた。ぶっちゃけ大ファンである。チュルについて語らせたら、半日では終わらないかもしれない。

いつかは黒田瑞祥の担当になりたいと思っていたが、こんなに早く夢が叶《かな》っていいのだろうか。しかも、じゃんけんで。

「僕が黒田先生の……あ、でも黒田先生の担当は石川《いしかわ》さんでしょう？」

「石川は入院した」

落合が答える。

「入院?」

「ストレス過多で三半規管《さんはんきかん》がおかしくなったらしい。強い目眩《めまい》で起き上がるどころか、目を開けているのもつらいそうだ」

ふぅ〜、と一斉に先輩編集たちがため息をつく。

「石川さんは一年保《も》たなかったわね……」

「生活が完全に昼夜逆転するからな……あの先生は編集から太陽を奪うんだ」

「気まぐれだし、我《わ》が儘《まま》だし、自分勝手だし……『ゴスちゅる』連載中の裏には、編集者の屍《しかばね》が積み上がっているんだよ……」

「そんなに厄介《やっかい》な人なんですか」

まだ新人の藍は詳しく黒田の人となりについては知らなかった。石川の様子を見ていれば、すんなり原稿を渡してくれる作家ではないのは明白だったが、そもそも締切を守るマンガ家というのは少ない。生息数でいうと、イリオモテヤマネコ程度しかいないのではないか。

「担当にかかる負担があまりに大きいんで、交代するときは恨みっこなしのじゃんけん制なんだ。とにかく原稿が取りにくい人でな」

落合編集長は、顎《あご》の肉を引っ張りながら言う。

「僕、粘ります」

「家に帰れない日も多くなるぞ」

「どこででも寝られますから」

「……そうだった。おまえ、神経質そうな顔してるくせに、ダンボールと新聞紙があれば寝られちゃうんだよな……」

「コミケの列では立ったまま寝ることもできます」

それに比べれば、横になれるだけありがたい。

ゴールデンウィーク進行の最中、仮眠室を先輩編集者たちに譲った藍は、床にダンボールを敷き、新聞紙の布団で熟睡して、三時間後にはシャキーンと起き上がった。その姿を見た別の編集部からは『あいつはサイボーグだ』と囁《ささや》かれ、奥歯についた加速装置で印刷所へ走るのだと噂《うわさ》されている。

「あの頃からおまえの働きぶりは新人の域を脱していたが……今回は本当にきつい相手だぞ。はっきり言って性格悪いし」

「性格が悪くても、原稿がよければ問題ないです。作家自身に夢を見るほど、僕は子供ではありません」

「……おまえ、そういうところクールだよなあ……ウン、おまえの粘り強さには定評があるし……任せてみるか……」

「はい。頑張ります。力いっぱい、原稿をもぎ取ってきます」

静かな決意を述べる藍の肩を、先輩編集たちが次々に叩《たた》く。

「野迫川、おまえならやれるかもしれん」

「期待しているわ。石川さんの敵《かたき》を取ってあげてね」

「うう、野迫川ァ、生きて帰れよォ……」

熱いメッセージをよこすひとりひとりに頷《うなず》き返しながら、藍は心中でサイン色紙をどうねだるべきか画策《かくさく》していた。

オタクとは、そうしたものである。

Ψ

「断っておくが、私は締切を守らない」

瑞祥がこの一言を発すると、たいていの編集者は絶句する。

あるいは、冗談かと思ってどこか卑屈な笑みを浮かべる。困ります、とたちまち半べそになる弱気な者もいた。

その様子を観察するのは、瑞祥にとって小さな楽しみとなっている。

なにしろ永遠という名の、絶望的にヒマな日々を生きなければならないのだ。吸血鬼最大の敵は、人間でもニンニクでも太陽光線でもなく、ヒマなのである。

「それは、守りたくても守れないという意味ですか。それとも守れるのに、あえて守らないのですか？」

ごく冷静な声が返ってきた。今までにない反応に、おや、と瑞祥は片眉を上げる。

「言っただろう。守らないんだ」

「なぜです？」

「守りたいと思わないから」

新任の担当者は、眼鏡の下、ぱちぱちと瞬《まばた》きをふたつばかりして

「それはまたずいぶん、幼稚ですね」

と言い放った。ほう、と瑞祥は片眉を上げる。

「締切というのは契約です。あるいは約束です。人として、約束は守らなければなりません。少なくとも、守るよう努力しなければならないと僕は考えます」

「私はそう考えないいんだよ。人ではないからねえ」

「人ではない？」

「吸血鬼なんだ」

ああ、とやはりごくクールなレスポンスがある。

「恒例の吸血鬼宣言ですね。歴代の担当から聞いています」

にこりともせずに喋《しゃべ》る男の名は、野迫川藍。

なかなか整った容貌の若者だが、野暮《やぼ》ったいスーツや古い型の眼鏡でずいぶん損をしている。折り目正しい雰囲気を持ってはいるものの、人気作家である瑞祥に対して臆《おく》する様子はない。むしろ全身から、自分は今までの担当とは違うんだぞというオーラを立ち上らせている。入社一年目は営業として書店を回っていたそうだから、編集者としてはヒヨコも同然である。

まだ若いのに……いや、若いからこそだろうか。怖いもの知らずなことだ。

「確かに、先生は日本人離れしたお顔ですし、背もお高いですし、お召し物も全部黒ですからね。マントをバサッとさせたら、女性読者が大喜びしそうな美形吸血鬼のできあがりです。ああ、いいかもしれません。特集組みますから、顔出ししてみませんか?」

「お断りだ」

「そうでしょうね。言ってみただけです」

とりつく島もない答えを投げてやったのに、さらりとかわされてしまった。なかなか肝《きも》が据わっている。

面白《おもしろ》いではないか。

瑞祥は緋色《ひいろ》のソファに身を沈めたまま、にやりと笑う。

今度の獲物は苛《いじ》め甲斐《がい》がありそうだし――嬉しいことに健康そうだ。

編集者となってまだ日が浅いせいだろう。その肌には艶《つや》と張りがあり、白目は濁《にご》っておらず、爪は桜色で縦筋も入っていない。

これならば血も美味だろうと、瑞祥は内心で舌なめずりをした。

「……吸血鬼はいないと思うか？」

ローズウッドのアンティークテーブルに手を伸ばし、シガーボックスからお気に入りのキューバ産葉巻を一本取り出す。瑞祥は紙巻き煙草《たばこ》は吸わない。あんな無粋《ぶすい》で不味《まず》いものは、生き急ぐ人間だけが吸っていればよい。

「ええ。会ったことないですし」

「いま会っている」

「先生は吸血少女チュルの生みの親ですが、吸血鬼ではありません。吸血鬼とは伝承と創作と宗教がごっちゃになって生み出された架空の存在です」

「では証明してみせろ」

「なにをです？」

「吸血鬼などこの世にいないことを、証明してみろと言っている」

シガーのヘッドを、フラットにカットしながら瑞祥は命じた。ほんのわずかに、野迫川の顔つきが変わる。

「なるほど『悪魔の証明』ですか」

「そのとおり」

存在していることを証明するには、その存在自体を示せばいい。リンゴがあることを証明したいなら、そのリンゴを見せるだけの話ですむ。だが、存在していないものの証明はそうはいかない。存在していないのだから見せようがない。かくも不存在の証明は困難である――いわゆる悪魔の証明だ。

「では、僕なりの証明を試みてみましょう。そうですね……証明となり得るのは、現在の世の中です。吸血鬼が存在していれば、その姿を見た者もいるはず。また、血を吸われる被害者も多くいるはず。ならば世間はもっと混乱し、施政者は対策を打ち出すべきなのに、現実はそうなっていません。従って吸血鬼などいないと言えます」

さして考え込むこともなく答えるあたり、頭は悪くないらしい。ますます楽しいではないか。

瑞祥は続けて質問した。

「世間の混乱とは？」

「血を吸われた人間は、病院や警察に駆け込むはずでしょう？」

「そうはならない。吸血鬼は特別な力を持っている。血液を搾取《さくしゅ》された記憶は曖昧《あいまい》で、夢でも見たかと思うだけだ」

「でも、首すじに傷が残るはずです」

「傷跡はほとんど残らない。軽く鬱血《うっけつ》する程度だ」

「そんな、エドガーじゃあるまいし」

野迫川の口元が少しだけ緩《ゆる》んで言った。

「エドガーとは?」

「……知らないんですか?」

「知らん。おまえの知り合いの吸血鬼か?」

「……ご存じないならいいです。いずれにしても、ずいぶん都合のいい話ですね」

「人間の視点から考えるから、都合がいいなどと思うのだ。吸血鬼側からしてみれば、ごくあたりまえのことにすぎない。もっと発想を柔軟にしてみてはどうかね?」

スペイン杉からできているマッチを点《とも》し、シガーにゆっくりと火をつけていく。急いで下手《へた》な焦《こ》がし方をすれば、味わいが損なわれてしまうのだ。

瑞祥が火をつけ終わり、やっと顔を上げると、野迫川は口を開けた。

「では三百歩ほど譲って、いくらか柔軟な発想をしてみましょう。先生が吸血鬼だったらと仮定します。僕の知る限り吸血鬼は不老不死とされているようですが、先生はいったいおいくつなんです?」

「ざっと一八〇歳というところかな」

薫り高い煙を吐きながら答える。野迫川は顔色を変えなかった。

「僕にはせいぜい三十代半ばくらいにしか見えません」

「書類上はそのくらいにしてある。各種身分証はあったほうが便利だからな。名前も国を移るたびに変える」

「もともとのご出身は？」

「ヨーロッパの小国だ」

「にしては目も髪も真っ黒だし、肌も白人の白さじゃないようですけど」

「わりと細かい点を気にする奴だな。ある程度、アジアンテイストにカスタマイズしてあるんだ。目立ちすぎるのは好ましくない」

野迫川はしばし黙した。眼鏡越しの視線が「はあ？」と語っているが瑞祥は取り合わない。

「……では、ついでにもうひとつ。どうして日本語がぺらぺらなんです？」

「血液の摂取によって、相手の言語能力を習得できる」

「それ、チュルの設定じゃないですか」

しごく当然である。キャラクターこそ架空だが、『ゴスロリ吸血少女Ψちゅるちゅる』の設定の多くは、フィクションではないのだ。

「わかりました。つまり先生は、吸血鬼になりきって『ゴスちゅる』を描いてらっしゃるということですね。やはり、吸血鬼というモチーフに並々ならぬ思い入れがおありなんでしょう。吸血鬼を描こうと思われたきっかけをうかがってもいいですか？」

「取材がいらないからだ」

なにしろ自分が吸血鬼なので。

「ああ、なるほど。もともとその類《たぐい》が……ゴシックだとか、吸血鬼だとかが、お好きでいらっしゃる。だからこんな時代錯誤な……失礼、時代と趣《おもむき》を感じるお屋敷にお住まいというわけですか。……しかしよく、都内にこんな物件が残っていたものですね」

誰もそんな話はしていないのに、勝手な解釈をする。瑞祥は黙ったまま足を組み替え、シガーの美しい灰を見つめた。

かくも人は吸血鬼を信じない。

いや、信じなくなった、と言うべきか。

百年前ならば、いつ信心深い人間に狩り出され、屋敷ごと焼かれるのではと懸念している必要があった。今でも世界のどこかには、魔に対して敏感な地域が残されているかもしれない。神を信じるがゆえに、魔も信じる人々の住む土地……。

だがここは違う。

この日本という国はまったく違う。吸血鬼など無視されている。シカトである。口裂け女のほうが、まだ怖がってもらえる。電源を切ったのに鳴るケータイなら、悲鳴を上げて逃げ出してくれる。しかし吸血鬼はだめだ。

生きやすいといえば、生きやすい。

だが。

迫害されるのも困るが、存在を否定されるのも不快だ。そもそも吸血鬼のアイデンティティは異端ゆえに、恐れられることにある。そんな禍々《まがまが》しい存在は信じたくない、と怯《おび》えられるならばまだしも、いるわけねーじゃんと笑い飛ばされるのは心外だ。

恐れられつつ、ひっそりと人間世界に紛れて生きる――この適切な距離感はすでに失われてしまった。

だからといって、選挙前の立候補者よろしく、宣伝カーで「こちら吸血鬼です！　人外魔物をよろしくお願いいたします！　美しい日本、美しい吸血鬼！」と喚《わめ》き立てるわけにもいかない。

瑞祥がマンガを描いている最大の理由はヒマつぶしだが、わざわざ吸血鬼マンガを選んだのは、そのあたりの複雑な感情が絡んでいる。もちろん、外出しなくていいことと、夜型生活に適した職業だという点も大きい。

「先生」

通算五人目の担当者が真《ま》っ直《す》ぐな視線をよこして言う。

「僕はチュルのファンです。連載が始まって以来の、大ファンなんです。だからこそ、作品を心待ちにしている読者の気持ちがよくわかります。……先生、もう原稿落とすのやめましょう。四頁《ページ》だけの掲載とかも、やめましょう。僕も精一杯お手伝いしますから、スケジュールの乱れを直しましょう」

「……お手伝い？」

「はい」

真摯《しんし》な顔で、野迫川は深く頷く。

「私が望めば、なんでもするのか？」

「はい。原稿のためならばなんでもします」

そうか、と瑞祥はシガーを灰皿に置いた。手のひらを上に向けて、指をクイと動かし、向かいに座っている野迫川を呼ぶ。

「隣に来い」

「は？」

「なんでもしてくれるんだろう？」

野迫川の顔に初めて躊躇《ためら》いが浮かんだ。どうせ聞いているのだろう——黒田瑞祥は担当者にセクハラをする。しかも性別や年齢関わらず、だ。

「えーと。打ち合わせは、向かい合っていたほうがしやすいかと思いますが」

「なんでもすると言ったのは、口だけか」

「そんなことはありません」

「隣に来ないなら、今日の打ち合わせは中止だな。もう帰っていいぞ」

「……わかりました」

すっくと藍は立ち上がった。

「覚悟はできています。僕も編集者の端《はし》くれです。原稿のためならば、パンツの一枚や二枚、脱ぎますとも」

「きみはパンツを二枚も穿《は》いているのか」

「言葉の綾です」

「まあ何枚パンツを穿こうときみの自由だがね。なにか誤解があるようだから、あらかじめ言っておくが、私は担当者にセクシャルハラスメントなどしない」

ただ、血をいただくだけである。

「……そうですよね。半信半疑とはいえ、おかしな噂を真に受けたことをお詫《わ》びします」

瑞祥の言葉を受け、野迫川の表情が少し和《やわ》らいだ。半分は疑っていたことを告白するあたり、妙に律儀《りちぎ》な男である。

「おかしいとは思ったんです。過去の担当者の話はどれもあやふやで……はっきりしない。というか、覚えてないらしいんです」

覚えていなくて当然だ。いちいち覚えていられたら困るので、吸血行為の最中は相手の意識は曖昧な状態にしておく。

「いつのまにか眠くなって、ふと目が覚めたらキスマークみたいな痣《あざ》があったとか……先生の顔が間近にあった気がするとか」

「編集者というのはみな疲れているようだ。よくそのソファでうたた寝をしている」

「僕はそんな失礼のないように気をつけます」

いや、寝てくれていいのだ。

瑞祥の瞳をじっと見てくれれば、催眠状態に陥《おちい》る。その間に百ＣＣから二百ＣＣばかりの血液を頂戴《ちょうだい》するわけだから、寝てくれなければ困る。

「まあとにかく、こっちに座りたまえ。次回のプロット案を見せよう」

それらしくスケッチブックなど手にする瑞祥だが、実のところプロットなどできていないし、相談するつもりもない。

「はい、ぜひ拝見させてくださ……ん？」

隣に腰掛けようとした野迫川の動きが止まる。クッションが、もぞもぞと動いているのだ。

「なんだ。そんなところに居たのかケイト」

ゴブラン織のクッションの後ろから、真っ黒な猫が身体をくねらせて出てくる。

「先生のお宅では猫も黒いんですね」

「紹介しておこう、アシスタントのケイトだ」

「……。まあ、この子が肉球でトーン貼ったりしたら、便利でしょうが」

野迫川は動物嫌いではないらしい。黒猫に向かってほっそりした手を出したが、人に慣れていないケイトはプイとそっぽを向いた。音もたてずにソファを下り、客間から出ていく。もっと静かな場所で寝直すのだろう。

ちょうどいい。ケイトへと差し出された腕を瑞祥が取り、強く引き寄せる。

「わっ……」

たいした抵抗もなく、野迫川はそのまま瑞祥の腕の中に収まった。目の前にある驚いた顔を、瑞祥はにっこり笑って見つめ返した。

「――セクハラは……なしですよね？」

「もちろん。ただ少し、私の目を見てほしいだけだ」

「はあ」

眼鏡のレンズの向こう、野迫川の瞳に瑞祥が映る。長い睫《まつげ》がレンズに当たりそうだ。眼鏡などやめて、コンタクトにすればよいのにと思う。見目麗《みめうるわ》しい獲物は歓迎だ。

艶《つや》やかな黒目を見つめて暗示をかける。

おまえは逆らわない、おまえは怖がらない。おまえは安心して私に身を任せる――。

野迫川の耳の下に、そっと手を当てた。

どくどくと脈打つ血液に、瑞祥は口元を綻《ほころ》ばせる。そのまま手をワイシャツの襟《えり》まで下ろし、慣れた手つきでネクタイを緩める。布地の滑る音を聞いただけで、口の中に唾液《だえき》が湧きそうだ。

だが。

「なにしてんですか、先生」

ぴしゃっ、と手の甲を叩かれてしまい、瑞祥は動きを止めた。

「……いや、暑いかなと思って」

「冷房ガンガンですよ、この部屋」

「……野迫川くん。眠くなったりしてないか？」

「いいえ」

「ぼんやりしたりは？」

「ちっとも。僕の頭はしゃっきりすっきり、むしろ興奮気味でアドレナリンがビシバシ出ている感じです。さあ、先生、新キャラを見せてください。次のプロットを聞かせてください。いよいよ盛り上がるところですよね、本当に楽しみなんです！」

だめだ。

これは、だめだ。

野迫川の目はきらきらと輝いてしまっている。こういった相手には催眠がききにくい。いっそがばりと噛みついて、あとで記憶を消してしまおうか。ここ一か月ばかり、新鮮な血液を摂取していないのでいささか飢えているのだ。

血液を得なくても死ぬわけではないのだが、体温が下がり、動きは緩慢《かんまん》になり、頭もぼんやりしてくる。マンガを描くのは思いのほか、重労働なので、三日に一度は食事をしたいところだ。やはり若く健康な人間の血液が最も美味だが、空腹であれば贅沢《ぜいたく》も言えず、多少まずそうでも我慢して食べる。

過去の担当者でいうと、久保田と桂木はまあまあ美味しくいただいたのだが、宮井は一回でやめた。薬物投与の多い人間の血はえぐみが強い。その次の石川は三十になったばかりの、ややふっくらした男で悪くなかった。しかしかなり気が小さかったせいか、精神的に参ってしまったようだ。編集長の落合にいたっては、肥満で風呂嫌いでヘビースモーカーの上、糖尿を患《わずら》っている。限度を超えてまずそうなので試していない。

「私は食事がしたいんだ」

「は？　ああ、わかりました。今度一席設けます。今はまずチュルの話を……う、わっ！　なにをするんですかッ！」

「今、食べる」

強引に引き寄せ、野迫川の襟を開く。ボタンが弾け飛んで瑞祥の頬に当たった。白い肌の下、瑞祥の目にははっきりと喰うべき血管が見える。

まさに牙を剝《む》こうとしたそのとき——。

「うっ……？」

灼けるような痛みが眼球と爪の間に走り、瑞祥は野迫川の襟から手を離した。

「な……ッ」

一呼吸ののち、その痛みが全身に伝播《でんぱ》する。瑞祥は野迫川を突き飛ばすようにして、その身体から離れた。立ち上がり、ソファからじりじりと後ずさる。

熱い。そして痛い。

こめかみを汗が伝った。もはや人間ではないのに、かつて人間だったこの身体は、当時と同じ生理現象が起きるのだ。

久しぶりに感じる、この感覚――。

「おまえ、なにを持っている……ッ?」

突き飛ばされた衝撃で、野迫川の眼鏡が外れていた。あっけにとられた表情でソファに半分寝そべり、開いた襟元に手をやる。

「え……なにって……」

呟きつつ、くすんだ銀色のそれを取り出す。

「これのことですか?」

「うわあッ!」

「先生?」

「出すな!　それを出すなっ!　しまえしまえ、早くしまえ!」

野迫川は不審顔で、自分の手の中にある小さな十字架を見た。銀鎖がついて、ペンダントになっている。

「祖母がくれたんです」

「しまえと言ってる!」

「……今、体調がよくなくて入院してるんですよ。敬虔《けいけん》なクリスチャンなものですから、これをおばあちゃんだと思って、いつも首にかけていなさいと……」

聞いてもいない説明をしつつ、藍は十字架を手にして立ち上がった。

「く、来るな！」

「ああ、そうか」

野迫川が合点《がてん》のいった顔をする。

「吸血鬼だから十字架がだめ。そういう設定なんですね。先生も相当思い込みが激しいタイプだなあ……」

「来るなと言っているだろうが！」

この怯えぶりを冗談だとでも思っているのか、野迫川は一歩二歩と近寄ってくる。瑞祥は眉間《みけん》に皺《しわ》を刻んで十字架から目を逸《そ》らした。見ているだけで目に棘《とげ》が刺さるようだ。すべての十字架に弱いわけではない。ただのアクセサリーならば、痛くも痒《かゆ》くもない。けれどそこに、真摯《しんし》な信仰が込められている場合は別である。

「そ、それ以上近づいたら、もうおまえのところには原稿をやらんぞ！」

野迫川の足がぴたりと止まる。

「版権も全部引き上げて、他社で連載を始めてやる！」

「先生、それはないでしょう」

呆《あき》れ声を出して、野迫川は十字架をシャツの中にしまった。見えなくなればだいぶ楽だ。瑞祥は小さく舌打ちをして新人担当を睨《にら》み、テーブルのそばまで戻った。卓上のシガーボックスから葉巻をすべて出し、胸元の赤いチーフをふわりと敷く。

「それを外してここに入れろ」

「え」

「原稿が欲しくないのか」

さっさとシガーボックスにしまい、封印して裏庭にでも埋めてしまおうと思った。よりによって十字架をぶら下げてくるとは、前代未聞だ。とんでもない編集者である。

野迫川はいまひとつ納得のいかない顔で両手を首の後ろに回しかけたが、ふとなにかを考えるような目をして、手を下ろしてしまう。

「なにしてる。さっさと外せ」

「いやです」

「なんだと?」

「だって、祖母と約束したんですよ。肌身離さずつけてるって。外したりしたら、なにか悪いことが起きそうでいやです」

襟から少しだけ覗《のぞ》いていた鎖を、藍が指先にクルンと巻きつけて引っ張る。すると十字架が半分ほど姿を現しかけ、瑞祥の皮膚がびりびりと痛んだ。

「出すな！」

「先生、打ち合わせしましょう？」

初めて野迫川が笑顔を見せた。

「次のプロットのお話をしましょうよ。今週中にはネームも欲しいですね」

「だからそれを外せば……」

「いいえ、外しません。でも、先生が打ち合わせをしてくれるなら、出しもしません」

「貴様……」

なんということだ。

こいつは瑞祥を脅迫しているのである。

いまだかつて、こんな屈辱《くつじょく》的な展開になったことはない。どの担当者も瑞祥の顔色をうかがい、機嫌を取り、夢見心地で血液を与え、拝み倒して原稿を欲しがったというのに——。

「さあ、先生、ソファへどうぞ」

向かい合わせになる元の位置に戻り、野迫川は正面の席を示した。

「打ち合わせなど必要ない」

「必要ですよ。僕はそのために来てるわけですし」

「いいか、よく聞け。私は今まで担当者と話し合って話の筋を考えたことなどない。どうしてもと言われてネームは見せていたが、内容については一切口出しさせなかった」

「はい。そういう話も聞いていました」

野迫川は驚いた様子もなく、鞄《かばん》から分厚いファイルを取り出してドサリとテーブルに置いた。

「でも、やはり第三者の意見は必要だと思います。さっきも言いましたが、僕はチュルの大ファンです。かなり読み込んでるし、研究もしています。このファイルは、チュルがなぜここまでヒットしたのか、その魅力はなんなのか、そして今後はどう展開していくべきなのかを、僕なりに分析してまとめたものです」

野迫川のファイルを一瞥《いちべつ》し、瑞祥はフンと鼻で嗤《わら》った。手に取ろうともせずに、灰皿の葉巻を取り、唇に挟む。だがすでに火は消えていて、結局また灰皿に戻す羽目《はめ》になる。

「オタクの戯言《ざれごと》など聞く気はない」

「いいえ、聞いていただきます。マンガというのは人気がパッと出てから、どう展開していくかが大切なんです。勢いだけでやっていける時期は限られています。そこからいかに作品を大切に育てていくかで、時代のあだ花となるか、後世に残る名作になるかが決まります」

「おまえの意見など必要はな……待て！」

鎖に触れようとした野迫川を止める。

腸《はらわた》は煮えくりかえっているが、それを顔に出すことは避けた。この新米編集をいい気にさせるだけだ。

「……聞くだけ聞いてやる」

内心で舌打ちをしながらも譲歩した。

野迫川は「わかっていただけてなによりです」とファイルを広げ、オタクならではの緻密《ちみつ》さとこだわり溢《あふ》れる解説を始めた。基本的に、自分の作品についてああだこうだ言われるのが大嫌いな瑞祥としては、うるさいことこの上ない。

覚えておけよ。そのうち一リットルくらい血を啜《すす》ってやる——。

いつ終わるのかもわからない話をうんざりした気分で聞きながら、瑞祥は改めてシガーに火を点けた。

《吸血鬼通り魔、再び現れる》

七月二十五日の深夜一時頃、東京都大田《おおた》区の住宅街路上にて、レストラン店員の滝本《たきもと》みのりさん（28）が、男に襲われた。

男は黒ずくめの格好で身長は一八〇センチ程度、滝本さんをナイフで脅し、首に噛みつこうとしたのだが、護身術の心得があった滝本さんは振り切って逃げた。

同月六日に目黒区内で起きた事件との共通点が多いため、田園調布《でんえんちょうふ》警察署では目黒警察署と連携し、犯人の特定を急いでいる。

（七月二十六日／読朝新聞夕刊）

2

黒田はなぜ、ああも十字架を恐れるのか。

藍は自分なりに考えてみた。思うに、黒田は一種の自己暗示にかかっているのではないか。自分は吸血鬼であるという暗示である。

なにしろ変人だ。見るからに変人だ。外国の血が入っているのだろう、相当な美形だけど変人だ。映画のセットに使えそうな古い洋館に住み、重い色の絨毯《じゅうたん》、重い色の家具、すべての窓は血の色にも似た、暗い赤のカーテンで塞《ふさ》がれている。

もしかしたらベッドは棺桶《かんおけ》なのではないか。そう思ってしまうほどの凝《こ》りようだ。

変人だの凝り性だのはオタクに多いので慣れっこな藍だが、自己暗示までいっちゃってるケースはレアである。イベントのコスプレ時にだけかかる自己暗示ならばともかく、二十四時間暗示続きはまずい。社会生活に支障をきたす。

……が、黒田の場合、自分が吸血鬼だと信じ込んでいたとしても、生活は問題なく成り立ってしまっている。

なぜなら黒田は、マンガ家だからだ。

黒ずくめの奇異なファッションも、夜にならないと仕事をしない生活も、社会性を欠いた性格も「マンガ家だから」の一言で「あー、マンガ家ね」と人々は納得してしまう。もちろん朝の六時半に起きて体操をし、自宅前の掃き掃除をしつつ、隣近所にさわやかな挨拶《あいさつ》をするマンガ家だっているのだが、むしろそういうタイプは「マンガ家っぽくない」と思われている。変人のほうが格好がつくという、ある意味珍しい職業なのだ。

「外してこいと言ったはずだ」

今日も変人は黒ずくめだった。

七月下旬の蒸す夜だが、屋敷の中は冷蔵庫のように冷房が効いており、自称吸血鬼は長袖《ながそで》のシャツをきっちりと着ている。煌《きら》めくカフスはルビーだろうか。そこだけがぽつりと赤い。

「いいえ、これは外せません。祖母との約束なので」

もちろん言い訳である。

確かに祖母からもらった大切な十字架だが、藍自身はクリスチャンではない。祖母の快癒《かいゆ》を願って提げていたペンダントだが、絶対に外せないわけでもないのだ。

しかしこの十字架が、吸血鬼自己暗示にかかっている黒田に有効であるならば、利用しない手はない。

「……きみは今までの中で、最低の担当だ」

忌々《いまいま》しげに黒田が吐き捨てるが、藍はさらりと受け流す。

「担当者の仕事とは、どれだけ作家に嫌われようと、よい作品を創り出すことです。さあ先生、ネームを拝見いたします」

「できてない」

「今日は見せていただけるというお約束でしたが」

「だができてない。できるかなと思ったのだが、やはり気分が乗らなくてな。……誤解するなよ？　わざとやっていないわけじゃあないんだ」

この嘘つきめ……『ウソ800《エイトオーオー》』を飲ませてやろうか。

『ウソ800』というのは、かの猫型ロボットのポケットに入っている便利グッズで、これを飲んだ人の言ったことがすべてウソになるのだ。つまりネームができていない、と言えば、できていることになる。藍にとっては『どこでもドア』の次に欲しいグッズである。

そんなことを思いつつも、むろん顔には出さない。

「そうですか、困りましたねえ」

眼鏡のブリッジを上げ、作り笑いで返した。この手合いには、怒ったら負けだ。

「でも先生、今日で四日目ですよ。三日前はだいたいできたとお聞きしてうかがったら、まだ完成していないから見せられないと仰《おっしゃ》いました。一昨日《おととい》は、完成したと聞いてうかがったのに、やっぱり気に入らないから捨てたと」

「そうだったか？」

「そうでした。そして昨日はもう一度描き直したと聞き、馳《は》せ参じてみれば、どこかで見たような話だと気がついてシュレッダーにかけたと仰る。いったい僕は、編集部とこのお宅を何往復すればいいのでしょうか？」

「さあな。いつになるやら……創作というのはそういうものだ」

しれっとした顔で黒田は答えた。

ちなみに歴代の先輩編集者によれば、ネームを見せてもらうまで通い続けた最多記録は、久保田の十二日間だという。訪問時間は夜の九時以降と指定される上、そこから数時間は待たされる。終電を逃《のが》すこともしばしばで、埼玉にある自宅までとても帰る気になれなかった久保田は、十二日間、会社の仮眠室に泊まり続けたそうだ。

「気分転換にお散歩はどうです？」

「このクソ暑い中、外に出ろというのか」

「もう夜ですから、それほど暑くはないですよ。それに人間、ある程度は汗をかかないと身体に悪いって聞くし」

「私は人間ではない」

「そうでした。吸血鬼でした」

ええかげんにせんかーい、とどついてやりたいところだが、ぐっと我慢である。

ギィと、蝶番《ちょうつがい》の軋《きし》む音がした。

ノックもなしに現れた青年を見て、藍はぎょっとする。これまた全身真っ黒くろすけである。藍よりは幾分背丈があるだろうか。ひょろりとした体格で、ブランデーグラスと紅茶の入ったカップを載せたトレイを持っている。やたらと長い前髪で顔がほとんど見えない。ゲゲゲの鬼太郎《きたろう》だって片目は見えているのに、彼は両方隠れている。本人も前が見えないのではなかろうかと、心配になってしまうほどだ。

「あ、お構いなく……」

黒田にはブランデーを、藍の前には紅茶を置いて彼は出ていった。一言も口をきかないし、藍を見たかどうかすらわからない。

「あいつがお茶を出すなんて珍しいこともあるもんだな……きみ、なにかやったのか？」

「は？　僕はなにもしていませんが」

「そうじゃなくて、にぼしでも食べさせたのかと聞いている」

「にぼし……？　っていうか、今の方はどなたなんですか？　初対面ですけど」

「なに言ってる。最初に来た日にちゃんと紹介しただろうが」

「猫しか紹介してもらってませんよ」

ケイトという名前の黒猫だった。

藍は動物が大好きなので、ここを訪れるたびにケイトを捜し、飼い主の了承もなしに撫《な》でくり回している。

艶やかな毛並みを愛《め》でつつ、「おまえのご主人様はなんであんなに我が儘なんだ?」とか「神様はマンガの才能と人徳は、一緒にくれないものだなあ」という具合に愚痴《ぐち》っているわけだ。このあいだはたまたま出張土産《みやげ》でもらった笹カマボコがポケットに入っていたので、玄関前に蹲《うずくま》って、ケイトと半分こして食べたりもした。

「だから、その猫だ。いわゆる化け猫というやつだな。ふだんは猫の姿だが、必要があれば人間にもなる。締切前はアシにもなるぞ。トーンワークはなかなかのものだ」

「……………ネームの話に戻りますが」

いちいち相手にしていられない。もう勝手にしろ、という気分だ。藍としては、猫がアシスタントをしていようと、犬がメシスタントをしていようと、原稿が上がれば文句はない。

「もう時間はあまりありません、早く見せていただかないと」

「だからできてない」

「先生。読者は待ってるんですよ」

「読者などどうでもいい。べつに読者のために描いてるわけじゃない」

商業マンガ家にあるまじき発言をして、黒田は優雅にブランデーグラスを揺すった。藍としてはそのグラスを取り上げて、床に叩きつけてやりたい気分である。

「ではお聞きしますが、先生はなんのためにマンガを描いてらっしゃるんですか」

「夜型人間だから、ちょうどいい仕事かなと思ってね」

「それだけですか？　それだけで、マンガ家なんていうハードな仕事を？」

「あと、ヒマだから」

ファンには死んでも聞かせられないセリフに、藍は思わず絶句する。

「吸血鬼は死なないからな。ヒマでヒマでしょうがないんだよ。たかだか八十年くらいで死ぬきみたちにはわからんだろうが」

「……。そうですか。ヒマつぶしですか」

落胆した。

ものすごく、がっかりした。

自分がこれほど好きなマンガなのに、作者はヒマつぶしに描いていると言うのだ。

性格が悪いのはいい。締切を守れないのも、ある程度は我慢できる。自分が吸血鬼だという危険な思い込みにも、黙ってつきあってやれる。

だが、自分の作品に愛がないのは耐えがたい。ため息を百連発したって足りないくらいだ。

過去の担当者たちが黒田をいやがるのは、その性格や原稿の遅さからではなかったのだ。マンガを愛し、自分たちの作っている雑誌に誇りを持っている編集者ならば、この男とつきあっていくだけで大きなストレスになるのは容易に想像がつく。

藍は唇を嚙み、それでも顔を上げた。

仕事は、仕事だ。

ヒマつぶしでも、悔しいが作品は面白い。

読者は黒田の人となりなど知らない。なにも知らずに、作品を待っている。その期待に、藍は編集者として応《こた》えなければならない。

「……なにをすればネームを見せていただけますか。十字架を外す以外なら、なんでもします」

この覚悟は本物だ。妙な迫り方をされる以外ならば、たいていは我慢できる。自慢にもならないが、藍の女性経験はないも同然である。高校生のときに初恋の女の子と触れる程度のキスを交わしたっきりだ。そろそろ清い身体とおさらばしたいのだが、プロフェッショナルのお世話になるのもなんとなく躊躇われ、今に至る。いくら美形とはいえ、頭のイッちゃってる男相手に童貞喪失では、一生の傷になりそうで怖い。

「先生」

「……そうだな、ならば宿題をやろう」

「はい、なんでしょう」

「確かおまえは、このあいだまで営業だったんだな?」

「ええ。日々、足を棒にして、都内の書店を回っていました」

「そうか。ならば千冊売ってこい」

「は?」

自称吸血鬼がにやりと笑う。

「私のコミックス千冊ぶん、本屋からの注文を取ってこい。もと営業ならば、注文の取り方くらいは承知だろう？」

思いも寄らぬ要求に、藍は押し黙る。千冊の注文……かつて営業にいたからこそ、難しいことが理解できるのだ。

困惑気味の藍を眺《なが》め、黒田は楽しげな顔でブランデーグラスを舐《な》めている。

「期限は三日だ。もし千冊達成できたら、ネームはすぐに見せてやるし、そうだな……今回は締切を守ると約束してやってもいい」

もともと『ゴスロリ吸血少女Ψちゅるちゅる』は人気作品である。新刊が出たばかりならば、千冊の注文を取るのはさして困難なことではないが、すでに前作の発売から一か月半が経過している。発売後の重版も二度かけてるから、継続して読んでいる読者には、ほとんど行き渡っており、書店での売上は落ち着いている時期なのだ。

おまけに、コミックを扱う書店ならば、チュルの最新刊は当然平台《ひらだい》で並べてある。つまり追加の必要はない。この現状からさらに千冊となると、簡単な話ではない。

「……わかりました」

それでも藍は了承した。簡単ではないからこそ、成功させたときには黒田の首根っこを押さえつけられる。

「千冊の注文を取ったら、締切を守る……約束してくださいますね？」

「吸血鬼に二言はない。ただし」

ただし？

まだなにかあるのかと訝《いぶか》しむ藍の前で、黒田がグラスを置いて立ち上がった。居間から続いている、まだ藍は入れてもらったことのない書斎に一度引っ込むと、なにやらガサゴソと捜し物をしている様子だ。

扉は開け放したままだったので、藍も立ち上がって部屋の中を覗き込む。

黒田の姿は見えない。どうやら、ウォークインクローゼットの中にいるらしい。アンティークな調度の収まる部屋は、ほぼ居間と同じ様相だが、かなり散らかっていた。大きな書き物机と、山のように積まれた資料本がマンガ家の部屋らしさを醸《かも》し出している。

「先生？」

「……あったあった。これだ」

黒田がウォークインクローゼットからずるずると引きずってきた代物《しろもの》を見て、藍は思わず目を丸くする。

スタンドつきのトルソーが着ているのは、チュルの衣装だった。

黒のサテン地に、黒と深紅のレースをあしらったワンピース。ウエストにはやはりレースをあしらったコルセットがついている。袖口と裾にもふんだんなレース。赤と黒の二重奏が、実に吸血鬼テイストだ。直毛ロングのヘアピースと、シフォンのリボンつき帽子もちゃんとついていた。

イベント会場などでチュルのコスプレはよく見かけるが、ここまで原作に忠実で、洋服としての出来映《できば》えも素晴らしいものは珍しい。

「すごい……レースにバラ模様が入ってるところまで完璧だ……これ、去年のイベントで使った衣装ですよね、協力してくれた有名ブティックが一点だけ製作したという」

入れとも言われていないのに、気がつけば食い入るようにトルソーを見ている藍だった。

「そうだ。蝙蝠《こうもり》ワンポイントがついた靴下と、リボンブーツもある」

「おお」

もはやただのいちオタクとして、靴下にかぶりつく。小さな蝙蝠の刺繍《ししゅう》をそっと撫でては「細かい……」と感嘆する。ちなみにこの蝙蝠はチュルのペットで、ちゃんと名前もある。

「これを着ろ」

「バトちゃんの刺繍も完璧だ……スカートの下はパニエで膨《ふく》らませているんですね。高そうな生地《きじ》だな……」

「おい。人の話を聞いているのか。これを着て、営業に行くんだ」

「……は?」

藍はやっと衣装から黒田に視線を移した。なんだかとても、奇異なセリフを聞いた気がする。

「着るって……誰がです?」

「おまえ以外の誰がいる」

「……先生、僕は男性ですが」

「わかっている。だがオタクとはコスプレをする生き物だろうが」

「いや、それはある意味偏《かたよ》った見方で、僕はコスプレイヤーではなく、デスクワーク系のオタクなんです。そもそも僕にこの衣装が似合うはずがないでしょう？　みっともないだけですよ」

確かに藍はチュルのファンだが、それとこれとは話が違う。コスプレも、見ているぶんには楽しいが、自分でやってみようと思ったことはないし、まして女装などとんでもない話だった。

「ああ。さぞみっともないことだろうな」

ひらひらのレースを摘《つま》み、黒田は口元を引き上げる。

「そう簡単に私の原稿が取れると思ったら大間違いだ。きみはこのふりふりの黒ワンピを着て、みなの笑いものになって、書店で頭を下げるんだ」

さすがの藍も身体を固くした。

なるほど、みっともないことだからこそ、藍にさせたいのだ。自《みずか》ら率先《そっせん》して、みなの笑いものになってこいと命じているわけだ。

つくづく、性根《しょうね》の腐ったマンガ家である。

「……いやか？　やれないか？」

「………………」

「べつに無理をしなくてもいい。その代わり、当分ネームは出ないなあ」

トルソーの肩に手をかけて、黒田は嘯《うそぶ》く。

仕事はヒマつぶしだと言い放った、史上最悪のマンガ家——。

ぶち、と藍の中でなにかが切れる音がした。

「着ましょう」

顎《あご》をツンと上げ、胸を張って宣言する。

「これを着て、行きましょう、営業に。街を闊歩《かっぽ》して、みんなに笑われて……だけど絶対、注文取りますから。番線印《ばんせんいん》もらって帰ってきますから」

番線印というのは書店の識別《しきべつ》コードが書かれたハンコのことである。番線印をもらう、というのは注文をもらうと同じ意で使う場合がある。

「ただし！　そのときは、今回だけじゃなくて、これからずっと締切を守っていただきます。それくらいの約束がなければ、女装コスプレは割に合いません」

いいだろう、と黒田が頷く。

どうせ無理だと思っているのがありありとわかる、余裕の表情だった。

「楽しみにしているぞ。ああ、ちゃんと証拠写真を撮ってこいよ。口だけで着ましたというのはナシだからな」

「わかってます」

やってやる。

こうなったらなんでもやってやる。

真っ白な灰になるまでやってやる。

懐かしのボクシングマンガを思い出しながら、藍は密《ひそ》かに拳を握った。与えられた時間は短い。

今日はコンビニでカミソリの替え刃を買わなければ。

明日のためにその一。臑毛《すねげ》を剃《そ》るべし、剃るべし、剃るべし。

Ψ

できるはずがない。

たった三日で、しかも野迫川ひとりの力で、千冊の注文など無理な話だ。業界にさして詳しいわけではない黒田でもその程度は予測がつく。

「……ふふ。着ると言ったときの顔は、見ものだったな」

どちらかといえば色白な肌に、サッと朱が走っていた。男性にしては細身といえる野迫川だが、それでも身長は一七〇前後ある。想像しただけで滑稽《こっけい》ではないか。

ちなみにワンピースのサイズはどう考えても小さいので、縫製を直す許可は与えてある。

「瑞祥様も意地悪だなあ」

瑞祥の皿にコンソメスープをサーブしながらケイトが言う。

一日に一度、人間だった頃と同じような食事を摂《と》るのもやはりヒマつぶしである。カロリー摂取する必要はない上に、瑞祥の舌はもはや血の味しかわからないのだが、脳内の記憶を再生することによって、味がするような気分になれるのだ。

「それに、服を直すだけで、一日はかかるのではないですか?」

「それを考慮して、期限は四日に改めてやった。意地悪どころか、優しいではないか」

「なんだかご機嫌ですね」

「おまえもあの男は気に入っているのだろう、ケイト」

「笹カマをくれました」

「そうか。大好物だったな」

人間型となっているときでも、ケイトは基本的に瑞祥以外とはほとんど口をきかない。車に轢《ひ》かれて死にかけていたケイトを助けたのは二十年ほど前だ。以来瑞祥と契約を交わし、寿命の代わりに家の中の雑事を引き受けている。

緻密《ちみつ》な彫刻の施《ほどこ》された柱時計が、ボゥンと重たい音をたてた。夜の十時である。食卓の上には赤い蠟燭《ろうそく》が点され、一度厨房《ちゅうぼう》に引っ込んだケイトが、サラダボウルを抱えて戻ってきた。

「いよいよ明日が約束の日だ」

「万が一、目標数を達成していたら、どうニャさ……どうなさるおつもりです？　今後締切を守らなければなりませんよ」

「心配には及ばん。最終的に描く描かないを決めるのは私だ。この国の政治家だって、平気で約束を破るではないか。だいたい、約束だの契約だのは、パワーバランスが均衡《きんこう》な場合にのみ有効となり得るのであって……ケイト、そのサラダのツナは、人間用だろうな？」

以前猫用ツナ缶を食べさせられた経験のある瑞祥が念のために聞く。

「たぶん。でも、猫缶のほうが塩分が控えめです」

「私はもう塩分も糖分も発ガン性物質も心配しないでいい身体なんだ。いくらヒマを持て余しているからといって、猫缶を食べる趣味は――なんだ、今の音は？」

バタン、と扉を勢いよく開閉したかのような音がする。瑞祥には防犯意識がないので、扉は開いていることも多い。

ドカドカドカと、重い足音が続く。

足音の主は一度居間に入り、そこが無人だとわかると、さらに廊下を進んでダイニングルームに突進してきた。

「先生！」

「うわっ」

現れたのは、野迫川だった。

しかも、チュルの衣装を纏ったままである。

衣装だけではない。ロングヘアーのかつらをかぶり、メイクを施し、右手にはオフィシャルグッズのバトちゃんぬいぐるみ（大）の翼をむんずと摑《つか》み、仁王立《におうだ》ちになっている。

瑞祥はあっけにとられて野迫川を見た。

もともと、整った顔つきをしているのは知っていた。髭《ひげ》もかなり薄そうだし、肌も綺麗だった。骨格にしても、男性にしては細いほうではある。

「ぶ……」

カトラリーを手にしたまま、瑞祥は思わず噴き出す。

それでもやっぱり、野迫川は男なのだ。

ものすごく、滑稽である。

ほとんどがソックスに覆われていても、筋張った脚は少女のか細さからはかけ離れている。手も足も、大きすぎる。肩幅は広すぎる。なのにメイクの威力もあって、顔だけは妙に可愛らしくなっており、そのミスマッチが可笑《おか》しさを倍増させているのだ。おまけに厚底のブーツを履いているものだから、身長は一八〇近くまでに達している。なんとでかいチュルだろうか。

「く、は……ははは……に、似合うじゃないか、野迫川くん」

「そうですか。僕も似合うと思います」

ほとんど自棄《やけ》の調子で野迫川は言う。ケイトはサラダボウルを持ったまま、口をポカンと開けていた。

「はは……ああ、苦しい。食事時にあまり人を笑わせるものではないぞ？　よかったら一緒にどうかね、お嬢さん。今夜のメインは地鶏のハーブグリルだが」

「いいえ、結構です。それよりこれをどうぞ」

滑稽な女装男はテーブルに歩み寄り、Ｂ５サイズの紙を数枚と、短冊状の紙片を叩きつけるように置いた。

「合計で、千飛んで七冊！」

紙の上から野迫川の手が退く。書店の番線印が捺《お》されたそれは、注文書だった。

「……なんだと？」

「既刊十二点各十五冊のセットが五店舗分。新刊単品注文が一〇七冊。これが証拠の注文書コピーです。原本はもう各取次に回してあります」

「セットだと？」

「そうです。チュルを棚差しだけで展開していた店に特攻をかけて、エンド台もらってきました」

「なんだ、エンド台って」

「本屋さんで、書棚の端を利用した平台があるでしょう。あそこのことです」

こいつめ、平台を取ってきたのか……瑞祥はカトラリーを置き、口元を歪《ゆが》める。

平台。

文字通り、平らに本を置ける台。

書店において、売れ筋の本を置くべき位置である。平らに並べ、重ねて高さを出すわけだから、一点の冊数がある程度必要となり、大口注文となる。

「感謝してますよ先生。この格好のおかげで、僕は相当捨て身の営業に見えたようです。とっと出ていけっていう店もたくさんありましたが、ウケたところには徹底してウケましたからね。アキバ界隈《かいわい》のお店では、コミックの担当者や、お客さんまで一緒に写真撮ってくれと寄ってきて、大変な騒ぎでしたよ」

「……こんなチュルでいいのか、読者は」

「たいがい失礼な人ですね……。まあ、あくまでイロモノとして面白がられているだけです。それでもいいんですよ、僕としては。とにかく千冊注文取れたんですから。さあ」

野迫川はやおら瑞祥の腕を取り、立ち上がるように促《うなが》す。

「プロット、出していただきます」

「私は食事中だぞ」

「吸血鬼なんだから、人間の食事は必要ないでしょう。それに僕は、二日間昼飯を抜いて、この格好で都内の書店を駆け回ってたんですから」

「うるさい、放したまえ」

乱暴に野迫川の腕を振り切って、瑞祥は不愉快も露《あらわ》に言った。

「既刊も入れれば千冊くらいの注文は取れるだろうさ。私は新刊を、つまり第十二巻を千冊売ってこいと言ったんだ」

「……そんな話は聞いていません」

「そうか？　ならば今後、人の話は注意深く聞くんだな。ケイト、そろそろメインの皿を頼む」

瑞祥は視線をテーブルに戻し、グラスに入った赤ワインを手にした。斜め後ろに立っている野迫川の顔は見えないが、彼が無言のままで立ちつくしているのはわかる。そこから一歩も動く気配はない。おそらくは怒りに震え、瑞祥の頭を睨みつけていることだろう。

やがてケイトがミトンをはめたまま、オーブンから出したばかりの鶏のグリルを運んできた。ハーブと野菜を添えてこんがりと焼かれた鶏肉から、いい香りが漂う。

瑞祥の前に鶏が置かれ、ケイトが切り分けるためにミトンを外していたそのとき、

「うわっ！」

思わず声を上げて、瑞祥は椅子ごと後ろに飛び退《の》いた。

鶏の丸焼きの中央に、グサリと刺さった銀の十字架。もちろん刺したのは野迫川だ。

「な、なんだこれはっ。前より大きくなってるじゃないか！」

「このあいだ祖母の見舞いに行って、もらってきました。祖母が長く愛用している聖母マリアのクロスです」

「人の鶏肉にこんなものを刺すな！　さっさと取れ！」

「いやです」

「なんだとッ」

「取ってもいいですが、次には先生の頭頂に突き立てるかもしれませんよ」

「なっ……」

椅子から立ち上がり、瑞祥は野迫川と対峙《たいじ》した。

……怒っている。相当、怒っている。

野迫川のこめかみに、マンガのような💢マークが浮かんでいた。

「約束は、守っていただきます」

凄《すご》んだ声でゴスロリ青年が言う。

「僕は千冊の注文を取ってきた。だから先生は今後一切締切は遅れてはならないんです。その約束を無視するというなら……」

「わっ！」

野迫川は鶏肉の載った大皿を、バーベルよろしく高く持ち上げ、瑞祥に迫る。

「く、来るなッ！」

「約束は守ってもらいます！」

「ケイト、なんとかしろッ」

「なんとかと言われましても……」

鶏を切るためのナイフを持ったまま、ケイトはただ成り行きを見守るばかりだ。争いごとの好きな猫ではないので、関わりたくないのだろう。そうこうしているうちに、瑞祥はいよいよ壁際まで追いつめられる。

「さあ先生ッ、今日という今日はネームを見せてもらいますからね！」

もはや鬼の形相《ぎょうそう》である。吸血鬼より怖いかもしれない。

「わ、わかったから皿を置け！」

「締切もきっちり守ってもらいますよ！」

「守るから！」

「神に誓って!?」

「吸血鬼だから神には誓えない！」

「じゃあ仏でも悪魔でもなんでもいいです、とにかく誓ってください！」

「わかった、誓う！　だから十字架をしまえ！」

フー、というよりはシュ〜、に近い呼吸音をたて、野迫川が高く掲げていた皿を下ろす。回れ右をしてテーブルまで戻り、皿を置くと鶏肉から十字架を抜いた。ケイトが黙ってナプキンを渡すと「ありがとう」と小声で受け取り、丁寧《ていねい》に十字架を拭《ぬぐ》う。鎖を首にかけ、もう一度ため息をついたあと、「お食事の邪魔をして申し訳ありませんでした」と形ばかりの詫びを述べる。

「僕は着替えて、いつもの部屋でお待ちしてます。お食事がすんだら、ネームを拝見させてください」

瑞祥は未《いま》だ壁に背中をつけたまま、頷くより他になかった。そのままダイニングを出ていく野迫川の後ろ姿を見送る。

「くそう、なんということだ……ケイト、こんなものは下げろ!」

十字架が刺さったあとの鶏肉など、食べられるはずもない。役に立たなかったケイトを横目で睨んでやったが、知らん顔である。

結局瑞祥は気分を落ち着かせるためにワインを一杯飲んだだけで食卓を離れた。

げんなりした気持ちで居間に向かう。

実のところ、ネームはすでにできている。見せなかったのは単なる嫌がらせだ。あの男がほとほと困り果て、土下座でもすれば見せてやるつもりだったのだ。

まさか、本当に千冊売ってくるとは……しかも、あの格好で。

呆れるべきなのか、それとも少しは感心していいのか。いずれにせよ、今までにないタイプの編集者であることは間違いない。

居間に入ると、不自然な座り方をしている野迫川が見えた。上半身が、今にも倒れそうなほど斜めに傾《かし》いでいる。

「……おい?」

静かに歩み寄る。

すでにワイシャツとスラックスに着替え、化粧も落とした野迫川が軽い寝息を立てていた。テーブルの上には携帯できるメイク落としシートが乗り、床に置かれた紙袋からはチュルの衣装が覗いている。

ネームネームと騒いでいたくせに、人が来てみれば居眠りだなんて、なんと図々しい奴だ――そう思いかけた瑞祥だが、正面に回り込んだとき、野迫川の目の下にできたクマに気がつく。さっきはメイクに隠れてよくわからなかったのだが、明らかに強い疲労と睡眠不足がうかがえる顔色だ。頬もいくらかこけたかもしれない。

向かいに腰掛け、若い編集者の顔を見つめる。

馬鹿な男だ。たかがマンガのために、なぜそこまでするのだろう。

確かに原稿を取るのが仕事なのだろうが、それにしたって限度というものがある。たとえば、過去の担当者にチュルのコスプレをして千冊の注文を取ってこいと言ったら、果たして何人が承《しょう》諾《だく》しただろう。困惑顔でただ頭を下げ、とにかく原稿をください、ネームはもういいです、減頁でもいいです、日程もぎりぎりまで待ちます、だからとにかく原稿をと――誰しも、そう言ったのではないだろうか。

「ん……」

野迫川が目を覚ます。

すでに瑞祥がいることに気がつくと、慌《あわ》てて姿勢を直した。口の端に触れてヨダレを垂らしていないか気にしつつ、「すみません」と居眠りしていたことを詫びる。

「失礼しました。では、ネームを拝見します」

ずり下がっていた眼鏡を直して、燃える担当者が言う。

瑞祥は無言のまま、様々なアイデアを描きつけているクロッキー帳を無造作《むぞうさ》に出した。

野迫川は、宝石にでも触れるかのような慎重さでクロッキー帳を手元に引き寄せる。青白かった頬に少し血の気が戻り、細い指先は頁をそっと捲《めく》っていく。

瞬《まばた》きが減って、唇が薄く開いた。野迫川がネームにのめり込んでいく様子が見て取れる。こんな顔をして自分のマンガを読む人間がいるのかと、瑞祥は幾分不思議な気分になった。

物語はクライマックスを迎えている。

人間を襲う【好戦型吸血鬼】たちが集結し、一斉に東京を襲う計画が進行しているのだ。主人公チュルは、ボーイフレンドであるショータと協力し、人々を東京から脱出させ、あるいは地下シェルターへと避難させる。無人となった西新宿《にししんじゅく》の都庁周辺を舞台に、チュルたち【共存型吸血鬼】と【好戦型吸血鬼】の闘いが始まり――。

「……先生」

三十二頁ぶんのネームを読み終えた野迫川が顔を上げる。ちなみに瑞祥は、ネームの段階でもかなり描き込むタイプである。

「なんだ」

「すごいです。西新宿で繰り広げられる戦闘シーン、背すじがぞくぞくするほどです」

「当然だ」

「高層ビル群がまるで不気味な生き物のようです……構図も大胆で面白い。ずいぶん綿密に描かれていますね。現地に行かれたんですか？」

「行ってはいけないのか」

夜の新宿副都心には何度か赴《おもむ》いた。無機質な高層ビルが立ち並ぶ不可思議な空間だ。非常に虚無的で、退廃的で、吸血鬼同士の戦場にはふさわしいと思えた。

「……やはり僕には、この作品がヒマつぶしに描かれたとは思えません」

「ヒマつぶしだから、緻密《ちみつ》に描くんだろうが。手抜きをすれば早く仕上がってしまう。ヒマが潰れなければ意味がない」

「……そうか……先生は、吸血鬼でしたよね」

「いかにも」

「吸血鬼というのは、永遠を生きるものですよね、このチュルのように」

「なにを今さら」

野迫川はクロッキー帳を持ったまま「それなら」と、身を乗り出す。

「永遠という時間を持て余す吸血鬼にとって『ヒマつぶし』というのは、すごく重要なのでは？」

大発見でもしたかのような顔をして、野迫川は興奮気味に言葉を続けた。

「僕は以前、先生の『ヒマつぶし』発言にとても落胆したのですが……今、気がつきました。ご自分を吸血鬼だと思い込んでいる先生にとって、『ヒマつぶし』は大切なものなんです」

「思い込んでいるんじゃなくて、吸血鬼だ」

「ちょっとそれは横に置いておきましょう。とにかく、『ヒマつぶし』がなかったら生きていくのはつらいはずで、先生はその『ヒマつぶし』にマンガを描くことを選んだ――そうですよね？」

目を輝かせて質問する野迫川に、瑞祥は困惑した。

改めて聞かれるとよくわからないのだ。確かにヒマは吸血鬼の大敵ではあるが、マンガを描くことがそれほど重要かと問われれば、そんなこともない。

「……五十年ほど前まで、私は画家だった」

自分自身の考えを整理する意味もあって、瑞祥は語り始めた。

「吸血鬼は歳《とし》を取らないから、同じ土地に長く留まることはできない。数十年おきに移動を繰り返す、放浪の身だ。職につく必要はないが、人間たちは『何もしていない者』を警戒する。『何者でもない者』と言ってもいい。人というものは『自分が、あるいは他者が何者であるか』をひどく気にする生き物なのだ。誰かの妻であったり、誰かの子供であったり、どこそこの村の鍛冶《かじ》屋《や》であったり、あるいは農夫であったり……そういうラベルがないと、たちまち不安になる」

野迫川は黙って瑞祥の話を聞いていた。

相づちはないが、熱心に聞いていることは顔を見ればわかる。

「人々がよそ者や放浪者を厭《いと》うのは、そのラベルが見えないからだ。だから私は自分に『画家』というラベルを貼った。画家ならばあちこち旅をしていてもおかしくはないし、国が違っても、言葉が違っても、絵画は共通のコミュニケーションツールだ。私の絵は高く評価され、土地の有力者に気に入られて贅沢な暮らしをした時期もあった。古き良き時代の話だがな」

「……なぜ、日本ではマンガを?」

「画家に飽きてからは、アメリカで商業イラストの仕事をしていた時期もあった。その頃から日本のマンガやアニメが注目されるようになり、私も興味を持った。アジアにも一度行ってみたいと思っていたしな。日本に来てからしばらくは、今なにが流行《はや》っているのか、どういうものが受けるのか……そういったトレンドを分析した。その結果オタクの世界に辿りつき、誕生したのが『ゴスちゅる』だ。だからこそ、ヒットもしたんだろう。私自身の純粋な創作意欲からできあがった作品ではない——きみはがっかりするだろうがね」

「いいえ」

野迫川が首を横に振る。

「オタクを舐めてもらっては困ります。マーケティングだけでヒット作など出ません。売れている誰かの真似《まね》をして成功するほど、この世界は甘くないんです。『ゴスちゅる』が売れたのは、『ゴスちゅる』にしかない面白さがあったからです。チュルが魅力的だったからです」

一途《いちず》な眼差《まなざ》しが瑞祥に注がれる。

この男は本当にマンガが好きなのだ。

チュルが、瑞祥の作品が……好きなのだ。

「……で、戦闘シーンはいいんですが」

野迫川がクロッキー帳のある頁を開き、テーブルに置いて示す。

「ここはどうかと思います。いくら壮絶な戦闘シーンでも、ショータが死んでしまうのはまずいでしょう」

「なぜだ。チュルを守りたい一心で、東京から脱出しなかったショータだぞ。これほどの闘いで、人間が生き残れるはずがない」

「それはそうですけど、前回でチュルの友人たちもずいぶん死んでいます。もうチュルにはショータしかいないんですよ？」

「だからこそ、ショータが死ぬことによってチュルは怒りのパワーを爆発させる。ショータの死は物語のリクワイアメントだから、変更できない」

「今まで『ゴスちゅる』は戦闘シーンのリアリスティックと、ラブコメディのほのぼのとした雰囲気が絶妙なマッチングだったのに、今回の展開は悲劇を通り越して悲惨です。読者は拒否反応を示すと思います」

「前にも言ったはずだ。読者のために描いているわけではない」

でも、と野迫川は納得しない。

「これはマンガで、あくまで娯楽です。エンタテインメントなんです。読み終わって気分が悪くなるような作品に、読者はお金を払いたくはありません」

「ならば買わなければいい。読者には選ぶ権利がある。私には、描く権利がある」

「そうは仰いますが」

「ああ、もう、やかましいな！」

バン、と手のひらでテーブルを叩き、瑞祥は声を張り上げた。

「私の作品なのだぞ、私の好きにさせろ！　今までだってそうやってきたが、人気が落ちたことはないはずだろうが。ショータが死ぬ展開にどうしても納得がいかないなら、今後はよそで連載を続けたっていいんだ！」

「だけど、チュルが可哀想です！」

瑞祥に負けじと声を張り上げて野迫川が身を乗り出す。

「ショータが死んだら、チュルはひとりになってしまうじゃないですか。たったひとりに……しかも、吸血鬼だからひとりでずっとずっと、生きていかなければならないんですよ？　そんなの……孤独すぎます。あまりに可哀想です」

声は次第に力を失い、野迫川は乗り出していた身体をもとの位置に戻すと、最後に視線を自分の膝に落とした。項垂《うなだ》れた姿勢のままでもう一度、

「チュルが可哀想です……」

と呟く。

「――孤独だと？」

口を歪めるようにして、瑞祥は嗤った。

「おまえになにがわかる？　チュルの……吸血鬼の孤独を、おまえは理解できるというのか？」

たったひとり、時を彷徨《さまよ》い続ける者。

自分の命を終わらせる権利を奪われた、哀れな幽霊。

帰るべき故郷もなく、還《かえ》るべき土もなく、いたずらに歳を重ね、ありとあらゆる命が散っていくのを、ただ眺めるだけ――。

野迫川は黙って俯《うつむ》いたままだ。この男が瑞祥から目を逸らすことは珍しい。いつだって、図々しいほどに真っ直ぐ、人の顔を見て喋るくせに。

「……読者は、吸血鬼ではありません」

顔を上げないまま、ぼそりと言った。

「なに？」

「読者は人間です。だから、人間の気持ちに沿って描いていただく必要があります。多くの人は僕と同じように思うはずです。チュルが可哀想だと……感じるはずです」

「それがどうした」

「先生」

野迫川が顔を上げる。またしても十字架を翳《かざ》して変更を迫るのかと、瑞祥は咄嗟《とっさ》に身構える。だが、そんな事態にはならなかった。

「先生、お願いします」

一度上げた頭を、野迫川は再び深く下げた。

「どうか考え直してくださいませんか。せめてショータが大けがをするとか、そのへんにしておきませんか」

「そんな中途半端はごめんだ」

「先生、チュルをひとりにしないでください」

「しつこいぞ。チュルにしろショータにしろ、きみのキャラクターではなく私の創作物だ。焼き殺そうが煮て喰おうが、私の好きにさせてもらう」

「先……」

「帰れ。これ以上作品の内容に口出しをするなら、担当替えを申し入れるぞ」

そこまで言ってようやく、野迫川は口を噤《つぐ》んだ。かといって「わかりました。先生のいいように描いてください」とは言わない。ゆっくりとソファを立つと、再度頭を下げて、

「本日はこれで失礼します」

と、いつになく弱々しい声を出した。

部屋を出ようとした野迫川と、お茶を運んできたケイトが扉の前で出くわしたが、一礼をしただけでそのまま玄関へと立ち去る。

「彼、しょんぼりしてませんでしたか?」

前髪にすっかり隠れたケイトの目にも、野迫川の様子は悄然《しょうぜん》と映ったらしい。

だが瑞祥の知ったことではない。

他人に命令されるのは大嫌いだ。ましてたかだか二十三、四のヒヨッコ編集が、この黒田瑞祥の作品に意見するなど考えられない。

ショータは死ぬべきなのだ。

チュルは孤独でいいのだ。

孤独なんてものは、いつかは慣れる。慣れなければ吸血鬼などやっていけない。時間はたっぷりあるのだから、チュルもいつかは孤独を飼い慣らして生きるようになるのだ。

――瑞祥が、今までそうしてきたように。

3

「いやいやいや、今夜も蒸しますねえ」

巨漢を揺すって、落合《おちあい》が言う。

「日中はもっと暑かったですよ。まったくもって、暑かった。それに比べてここは天国ですねえ。最近じゃクールビズとかいって、編集部の冷房も設定温度が高めなんですよ。ボクなんかほら、身体がコレだし、暑がりだし、デスクにいるだけで脇の下を汗が流れてきて、それがくすぐったくてひとりで身悶《みもだ》えていたら、ウチの女の子が、編集長が暑さでおかしくなったなんて言い出すし……」

野迫川《のせがわ》が千部の注文を取ってから、数日後の夜である。高級アイスクリームの手みやげを提げ、突然黒田《くろだ》邸に現れたのは、『ジージンタ』の落合編集長だった。

「あ、アイス召し上がってくださいね、アイス。あー、ボクも一個いただこうかなー。ボク抹茶が好きなんです抹茶。先生、抹茶食べたいですか？　え？　いい？　そうですか、ならボクがいただきますね。スプーンもちゃんとついてるし……おお、綺麗なグリーンですな、いいですな」

べらべらと喋《しゃべ》り続ける落合を、瑞祥《ずいしょう》は苛《いら》ついた気分で見つめていた。

なぜおまえが来るのだ。

あの生意気な新人はどうしたのだ。

まさか、瑞祥が「担当替えを申し入れる」と言ったのを真に受けて……いや、実際それくらいしても構わないと思ったのだが、よりによって一番不味《まず》そうな落合が来なくても――。

「ああ、先生、ボク勝手に食べてますから、どうぞ書斎でお仕事続けてください。野迫川が来ないからといって、締切が延びるわけではありませんよ。こうしてボクが、しっかりと待機させていただきますから」

「……担当が替わるのか」

「はい？」

「私の担当は、また替わるのかと聞いている」

ぷくぷくした指で小さなプラスチックのスプーンを扱いながら「あ、いえいえ」と落合は首を振る。

「そういう予定は今のところございません。もし、先生がどうしても野迫川ではだめだということでしたら、それは考慮いたしますが」

「誰もそんなことは言ってない。……生意気だが、その……このあいだも大量の注文を取ってきたしな」

ハイハイ、とにこやかに巨体が頷《うなず》く。

「すごいですよ彼は。二日間、都内をあの格好で駆け回って、社内もあの格好で駆け回って、取次まであの格好で行っちゃったんですからね。いま平台には、ゴスロリ野迫川の写真つきポップが飾られてるはずです。『担当編集の気合いが違います！　これが面白《おもしろ》くないはずがないッ』っていうキャッチなんですよ、ははは」

「……で、なんで今日はいないんだ」

「あ、それはですね」

落合の表情がわずかに曇った。

「忌引《きび》きなんですよ。ちょっと身内に不幸がありまして。それで急遽《きゅうきょ》ボクが先生の見張り……ではなくて、お世話を」

「誰か死んだのか」

「おばあさんがね。ここ何か月か入退院を繰り返していて、お歳《とし》も八十すぎてらして、あまり具合もよくなかったらしいんですが……ウン……野迫川は、治ると思っていたようです。思い込んでいたと言ってもいいのかな」

アイスを掬《すく》う手が止まり「唯一の肉親だったしねぇ」と小さく言う。

「両親は？」

「亡くなっているそうです。母親は、彼が生まれたときに。父親は中学生のときだったかな。事故だそうですが」

ふう、と落合はため息をついた。

「もうおわかりと思うんですが、野迫川、変わってるでしょう？　まあいわゆるオタクなんですけどね。でもオタクのくせに、なんだか社交的な奴でしてねえ。飲みに誘えばまず断らないし、営業時代も書店さんからはずいぶん信頼されていたようです」

「ふん。その下地があったから、千冊の注文が取れたんだろう」

「もちろん、それもあるでしょう。あとは……ネタばらしになっちゃいますけど、一店はたまたま新規開店でしたから、運もありました」

「なんだそれは。聞いていないぞ」

「でも必死でやっていたことには変わりないですよ。あいつは本当に、先生のマンガが好きなんですよ」

部下を誉《ほ》める落合の顔は自慢げだった。

「野迫川は父子家庭で、鍵っ子だったから、いつもマンガを読んで過ごしていたと話してました。先生、ボク思うんですけどね。たぶん、あいつはさみしがりやなんじゃないかなあ……ホラ、なにしろ眼鏡能面で、顔に出るほうじゃないから、わかりにくいんですけどね」

「さみしがりや？」

「マンガは、野迫川のさみしさを埋めてくれるものだったんでしょう。母親がいなくて、父親も死んで……ウーン、あいつ、とうとうひとりぼっちになっちゃったんだなあ……」

落合は悲しそうに笑うという、複雑な表情を見せる。

——チュルが可哀想です。

瑞祥は、野迫川の言葉を思い出していた。

たかがマンガのキャラクターに、感情を重ねて、声を震わせて……お願いしますと深く頭を下げた。チュルをひとりにしないでくださいと。

「……弔問《ちょうもん》に、行けるだろうか」

「先生が、ですか？」

小さな目を剝《む》いて、落合が驚く。

「なんだその顔は。行ってはいけないのか」

「いやいや、そんなことはないです。野迫川も感激すると思います。……ええと、住所はこちらになります。墨田《すみだ》区ですね」

小さなメモを渡してくれた。

瑞祥はそれをさらに小さく折りたたんで、シャツの胸ポケットにしまう。物珍しげにこちらを見ている落合を睨《にら》み「行くかどうかは別として、預かっておく」とぶっきらぼうに告げる。

べつに野迫川を心配してるわけではない。慰めようとも思わない。

ただ、あの失礼な担当編集がしょぼくれている顔を少しばかり見てやろうというだけだ。

「そりゃもう……で、先生、原稿のほうの進み具合は？」

「下絵はもうすぐ上がる」

落合相手では、焦《じ》らしても面白くないので、ありのままを報告した。余裕とまではいかないが、いつもに比べれば進行が早い。

「引き続き、よろしくお願いします」

満面の笑みを浮かべた編集長が、抹茶のアイスをペロリと舐《な》めた。

Ψ

身体に力が入らない。

あぐらを組んで、畳に座ったのがどれくらい前だったのかよくわからない。いいかげん、立ち上がらなくてはと思うのに、どうやったら立てるのか、どこに力を入れればいいのか――藍《あい》にはわからなくなってしまった。

祖母が逝った。

神様が、藍から祖母を奪ってしまった。あの優しい笑顔を、限りない慈《いつく》しみを。

祖母はクリスチャンだったので、葬儀は教会で行われた。

聖書の朗読、賛美歌の合唱……藍の歌声は祖母に届いただろうか。天国で音痴《おんち》を笑ってくれただろうか。

日本では、クリスチャンも火葬になることが多いそうだ。

お年寄りは、焼きやすいそうよ——火葬場で、罰当たりなことを言っていたのは誰だったろう。

藍の祖母は骨と灰になった。

小さな、白い布に包まれて、簡素な祭壇に置かれている。召天《しょうてん》記念日まで、ここで藍が祖母の骨を守る。

本当は、かなり悪いのだと知っていた。

医師もそう言っていたし、祖母もすでに覚悟を決めた顔で、短い退院のたびに部屋を整理し、藍に保険の証書や家の権利書を託した。縁起でもないからやめてくれと言っても、笑いながら「準備だけ。ね、準備しておけば安心して治療に励めるから」と言っていた。

それでも、まだ先だと思っていた。

思って……いたかった。ひとりになってしまうのは、まだ先なのだと。

「これで……本当に、ひとりだな……」

わかっている。この現実を受け入れなければならないのはわかっている。頭では理解しているのだ。

ただ、気持ちが納得していないだけで。

困ったことに、涙が出ない。

喉《のど》と胸につかえているなにかは、泣ければ少しはましになるだろうと思うのに、だめなのだ。息はしにくいし、食べ物も飲み込みにくくて、この二日はろくに食事すらしていなかった。不思議と空腹感もない。自分自身も、そして世界も、すべてが曖昧模糊《あいまいもこ》としている。まるで深い霧の中にいるみたいだった。

家のどこかに、祖母がいるような気がする。

台所から、今にもまな板を叩《たた》く音が聞こえてきそうな気がする。「藍」と呼ぶ声が聞こえてきそうで――聞こえてくるまで、いつまでだって待っていたい。ずっとここで座っていたい。

「死者は戻らない」

聞き覚えのある声が、聞きたくもない現実を告げた。

「どれほど後悔の念を残していても、生き残った者がどれほど望んでも、死者は決して戻ってこない。絶対的な不可逆に支配されているからこそ、それは『死』なのだ。……ただし吸血鬼は死んでいない。生が停止しているだけだ」

「……生が停止したら、『死』なのでは？」

振り返りもせずに、質問を投じてみる。襖《ふすま》のあたりに立っているのが黒田なのは、声と気配ですぐにわかった。玄関は開けっ放しだったろうかと考え、すぐにどうでもいいやと思考を放り出す。なにもかもが、どうでもよかった。

「ことはそうシンプルではなくてな。我々は『死の不可逆』の一歩手前で置き去りにされた存在なのだよ」

だからなんなのだ。

今の藍は架空の吸血鬼論につきあっていられる気分ではない。

「……それで……先生は、どうしてここにいるんです……？」

「おまえの代わりにあいつが来たからだ」

「あいつ……？」

「編集長の落合だ。暑苦しいわ、お喋りだわ、あの男が来るだけで室内の温度が五度は上昇して迷惑だ。さっさと仕事に復帰しろ」

「忌引きと有給休暇で……一週間くらいお休みをもらおうかと思っているんです」

「なにを悠長な。そんなことを言ってると、私の原稿は上がらんぞ」

「編集長に任せます……」

「私はおまえにしか原稿を渡す気はない」

静かな和室に、黒田の強い声が響く。

藍はゆっくりと声の方向を見た。首を少し動かすだけで、なんと怠《だる》いことか。

「すっかり腑抜《ふぬ》け顔だな」

憎まれ口に言葉を返す気力もなかった。

黒田は、襖の向こうで右半分だけ身体を見せて立っていた。部屋の奥に設《しつら》えた祭壇には十字架が立てられているので、中に入りたくないのだろう。黒いシャツに黒いジャケット、黒のスラックスと、相変わらずの真っ黒ぶりだが、今のこの家にはふさわしい。

「ったく、ここに立っているだけで皮膚がピリピリ痛いというのに……くそっ！」

意を決したような声がして、黒田が一歩を踏み出した。

そのままずかずかと部屋の中央まで進み、へたり込んでいる藍の腕を摑《つか》む。ずるずると畳を引きずられて襖の近くまで移動したところで、ちっ、と小さな舌打ちが聞こえた。

どうしたのだろうか……藍の腕を摑んでいる黒田の手が、軽い火傷《やけど》のように赤く腫《は》れていた。

藍がじっとその部分を見つめていると、甲を軽くさすって、

「おまえの祖母は、奴に愛されている」

と悔しげに言う。

「奴……？」

「奴だ、奴。おまえがいつも提げているものより、アレはもっと強力だ。だから私の皮膚がこんなふうになる。ま、死にはしないし、すぐに治るがな」

アレというのは祭壇の十字架で、奴というのは神様のことだろう。思い込みもここまでいくと、なにやら感心してしまいそうになる。

「しゃんとしろ。二日で千部の注文を取ってきた男とは思えないぞ」

「先生」

「なんだ」

「……おばあちゃんが、死にました」

「知っている」

素っ気《そけ》ない返事。

だが、片膝《かたひざ》をついて藍を見つめている黒田の目は、思いがけない色を湛《たた》えていた。

少し、困ったような……それでいて、とても優しい瞳。黒田の目が単なる黒ではなく、光の加減によって深いグリーンがちらつくことを藍は初めて知った。

「先生」

返事はない。

けれど、大きな手が髪に触れた。耳を覆うように、ごくゆっくり、慎重に。

「僕はひとりになってしまいました」

「ああ」

「もう、家族はいません」

「そうだな」

「こんなことって」

震える自分の声に、自分で驚いて——けれどもう、言葉を止められない。

「……ひどいです。突然すぎです。いつものようにお見舞いに行ったら、おばあちゃんのベッドに医者や看護師が群がってて、発作が始まりましたって言われて……だって、昨日まで、普通に喋ってて、僕は仕事の愚痴を零《こぼ》したり、先生の悪口を言ったり、例のコスプレの写真を見せたり、おばあちゃん、すごく笑って、最初からシワシワの顔なのに、それをもっとシワシワにして笑ってくれて、もう、同室の人みんなで回覧して笑い合って——なのに、突然発作だなんて」

一気に喋ったので酸素が足りなくなった。呼吸をすると喉がヒュッと鳴って、再び藍は言葉を吐き出す。

「……そのままＩＣＵに入って……喉を切開して管《くだ》を入れられて……でも結局、意識は戻らないままで——なんにも……なんにも話せなかった。僕はお礼も言えなかった。育ててくれてありがとうって、今までずっとありがとうって——せめてそれくらい、言わせてほしかったのに、なにもかも、あっというまで」

気がつくと、黒田のシャツの胸元を摑んでいた。

自分はなにをしているんだろう、どうしてこの男に弱音を吐いているんだろう。

よりによって、この最悪なマンガ家に……わずかに残っている理性が不思議がっている。けれど今は、吹き出した感情の渦が強すぎる。

「僕は……ひとりになっ……」

黒田の右手は髪から頰《ほお》に移動していた。

眼鏡がそっと外される。

視界がぼやけて、黒田の輪郭《りんかく》も曖昧になった。

中指がゆっくりと、藍の瞼《まぶた》を撫《な》でる。眼球に感じたかすかな圧が、なにかのスイッチを押して、涙腺の機能を呼び起こす。

下睫《したまつげ》にひっかかり、ぎりぎりまで膨《ふく》らんだ水の粒が自《みずか》らの重みで落下していく。

一粒落ちてしまえば、あとはとめどもなかった。まるで頬を洗うかのような勢いで、涙は次々に零れていく。顎《あご》まで達すると、今度は畳にぽたぽたと、雨のように落ちる。

黒田の手のひらが顎と畳の間に差しのべられ、涙を受け止めた。

まるで、藍の悲しみを受け止めるかのように。

「……思い出したぞ」

囁《ささや》くような声。

この男が滅多《めった》にない美声の持ち主だということに、今頃になって気がつく。

「そうか……そうだったな。私はあまりに長く生きすぎて忘れかけていた。孤独とは、喪失感とともに在《あ》るのだ……大切な誰かを失ったときに感じるものなのだ」

鼓膜を撫でるすべらかな声音は、まるで藍を慰めるかのようにも聞こえた。

「誰も愛していなければ、愛さずにすむのならば、孤独は感じなくてすむ。だが、もしも……」

手のひらで跳ねる涙を見つめ、黒田は歌うように呟《つぶや》く。

「もしも誰かを愛してしまい、その愛を失ったとき……圧倒的な孤独に襲われる。何百年生きようと、孤独に慣れることなどない。慣れたような気がしていたのは……私がもう長いこと、誰も愛していなかったせいなのだろう」

黒田の手のひらに、小さな池ができていた。藍の涙の池だ。

黒ずくめの男は、それをそっと舐め取った。

「おまえの涙は甘いな」

嘘だ。涙が甘いはずがない。

その証拠に、頬から唇まで伝った涙の塩辛さを藍の味蕾《みらい》は感じていた。

「その孤独は代償だ」

静かに立ち上がり、黒田は言った。

「おまえがそれだけ祖母を愛していた代償であり、証拠でもある。ならばおまえはその孤独を引き受けなければならない。どれほどの苦しみと痛みを伴《ともな》おうとも、その孤独をしっかりと腕に抱えて生きていくしかない。祖母を愛していたならば……できるはずだ」

眼鏡がないため、離れてしまうと黒田の顔がよく見えなくなってしまう。

「早く復帰しろ。もう一度言うが、おまえ以外に原稿を渡す気はないぞ」

最後にそれだけ言うと、黒田は帰っていった。自称吸血鬼はあとかたもなく消え——と言いたいところだが、部屋の中にくっきりと靴痕《くつあと》が残っている。

「……靴、履いたままかよ……」

そういえば黒田邸は完全な洋風スタイルで部屋の中でも靴を脱がないのだ。

――おやおや、早く拭《ふ》いておくれ。

祖母の苦笑する声が聞こえた気がする。

まったく、困ったマンガ家先生だ。

藍は立ち上がり、風呂場でバケツに水を汲《く》んだ。雑巾《ぞうきん》を片手に畳と廊下を拭きながら、この古い家で祖母と暮らした日々を思い出して泣いた。ずっと泣き続けた。あとからあとから零れる涙のあとを雑巾で拭きながら、しまいには家中を掃除しつくしてしまう。

そうして、明け方近く……疲れ果てた藍は、ようやく眠りにつくことができた。

《三度、吸血鬼通り魔出現》

八月二日の午後十一時三十分頃、東京都目黒《めぐろ》区の公園でコンビニエンスストア店員の吉田恵《よしだめぐみ》さん（19）が、ベンチで座っているところを背後から男に噛《か》みつかれた。

吉田さんは休憩時間だったため、働いているコンビニエンスストア店舗近くの公園で、携帯電話で友人と話していたところを、突然襲われた。大声で叫んだところ男は逃走、吉田さんは男の後ろ姿をはっきり目撃しており、かなり背が高く、黒い目出し帽と、上下とも黒の服装だったと話している。警察では、七月に目黒区と大田《おおた》区に現れた噛みつき魔と同一犯ではないかと見ている。目黒警察署では、目撃証言を手がかりに一刻も早い検挙を目指す方針。通り魔事件として近隣の聞き込みにあたっている。

（八月四日／読朝新聞）

4

バサリ、と新聞紙を捲《めく》る音がした。

「吸血鬼通り魔、また出たんですね。これって先生だったりしますか？」

「馬鹿者」

せっせとペンを動かし、原稿から顔を上げないまま、瑞祥は愚かな担当者を叱咤《しった》する。

「嚙みつくだけの吸血鬼がどこにいる。血を吸うために嚙みつくのに、悲鳴を上げられるたびに逃げては、意味がないだろうが」

「でも現場はここから近いし、夏なのに黒ずくめの格好なんですよ」

「黒ずくめならばケイトも同じだ」

「まあ、笹カマボコを奪って逃げたというなら、僕もケイトさんを疑いますけどね」

瑞祥が野迫川のもとを訪れた翌々日……少なくとも表面上はいつものすまし顔を取り戻し、野迫川が原稿の催促《さいそく》に現れた。

手みやげは瑞祥にはフルーツゼリー、ケイトには笹カマだ。ケイトは小振りの箱を受け取った瞬間、その場で包装を剝《む》いて、がつがつと食べ始めた。もともとケダモノなのだから、仕方ない。

「そんな奴は吸血鬼ではなく、ただの変態だ。変態と吸血鬼を一緒にするな」

「なるほど、変態と吸血鬼は似て非なるものなのですね」

「似ていない！」

顔を上げ、担当者を睨む。

失敬な担当者は書斎の隅に置いてあったカウチを自分の定位置としている。今日の明け方に上がったカラー原稿をかっさらい、一度編集部に戻ってから夕刻になってまた戻ってきた。すでに着替えを持ち込んでの監視態勢である。

祖母を失った痛みは、まだ癒《い》えていないはずだ。それでも野迫川は早々に仕事に復帰した。最初に顔を見せたとき、深々と頭を下げて彼は言った。

——今の僕を支えてくれるのは仕事です。チュルです。ご迷惑をお掛けしましたが、これからもよろしくお願いいたします。

それから、こんなこともだ。

——両親がいなかった僕を慰めてくれたのは、マンガでした。マンガの世界で僕は、ヒーローになり、ヒロインに胸をときめかせ、空だって飛べたし、世界征服だって狙《ねら》えた。僕にとってマンガは……一番大切な友達だった。だから僕はマンガ編集になりました。僕の大切な友達の力になりたくて。そして今、僕の一番の友人はチュルです。チュルのためなら、僕はなんでもやれます。仕事だからではなく、チュルは僕の親友だから。

瑞祥は考えた。

マンガが親友だという野迫川を、馬鹿というべきか、憐《あわ》れむべきか。いい大人がなにを言っているのだと、呆《あき》れてみせるべきか。

しかし結局はなにも言えなかった。頭では野迫川のマニアぶりを否定しているのに、心では受け入れていたからだ。

自分のマンガにそこまで入れ込んでくれているこの男を、快《こころよ》く思っていたからだ。

「瑞祥様、ここのトーンはどうしますか」

アシスタント猫であるケイトも、ここ数日はずっと人間の姿で頑張っているが、やはり疲れてきたのか、ときどき黒い尻尾《しっぽ》が出現してしまう。

「そこは血飛沫《ちしぶき》トーンだ」

「ドバーの血飛沫で?」

「いや、プシャァァのほう」

もちろんそんな名前のトーンはなく、単に瑞祥が殺戮《さつりく》シーンで愛用しているトーンにそういう名前をつけただけである。

実のところ、当初の締切日はすぎている。だが野迫川は「僕が突然休んだせいもありますから」と、遅れた事実については責めなかった。その代わり「これからが勝負です。根性入れて頑張りましょう」と、通常行程で一週間の作業を三日でやれと要求してきた。

冗談ではないと思った瑞祥だが、なにしろ例の約束があるので拒否もできない。減頁《げんページ》を提案してみたものの、にべもなく却下されてしまった。

「僕もなにか手伝いましょうか？」

新聞を置いて立ち上がり、野迫川は背後から原稿を覗《のぞ》き込んだ。

「素人《しろうと》が私の原稿に触れるな」

「トーンとベタくらいはできますよ。大学のときは漫研だったし」

「私の緻密《ちみつ》な画面製作に関わろうなんざ、百年早い。いいからそこで待っていろ」

「はいはい、仰《おお》せのとおりに。……あ、では食事の支度《したく》をしましょうか？　先生、顔色あまりよくないですよ。ちゃんと召し上がってますか？」

いらん、と無造作《むぞうさ》に答えた。

顔色が悪いのはいつものことである。血色のいい吸血鬼では様《さま》にならないではないか。

だが、『栄養』をしばらく摂取していないのは指摘どおりだった。もう一か月近く、新鮮な血液を得ていない。地下に隠してある冷凍庫には、病院からくすねた輸血用血液が保存してある。週に二、三度、それを解凍して啜《すす》ってはいるが、正直いって不味い。栄養価は期待できないが、野迫川の涙のほうがよほど美味だった。やはり鮮度は大切だ。

「だめですよ、ちゃんと食べなくちゃ。僕、なにか軽いもの作ってきます。サンドイッチがいいかな。具は卵と……」

「野迫川さん」

前髪の奥からきらりと目を光らせて、ケイトが顔を上げた。

「台所の棚に、ツナ缶があるので」

「ああ、じゃあそれを使いますね」

「人間用かどうかちゃんと調べろよ」

あはは、と野迫川が笑う。

「わかりました。ちゃんとチェックします。猫缶が好きだなんて、ケイトさんも変わってますよね。じゃあ、三十分くらいでできますから、おふたりはキリキリと仕事をしててくださいね」

キッチンへと向かった野迫川がいなくなると、ケイトが縮めていた尻尾をシュルンと伸ばし、盛大に揺らした。

「今日の野迫川さんはよく笑いますね」

「……暗くならないようにと、意識しているせいだろう。どこか不自然な笑顔だしな」

「なるほど……もともとが無愛想なだけに、なにやら痛々しいですね。瑞祥様、ちゃんと慰めてあげましたか？」

「慰める？　なぜ私がそんな真似《まね》をしなければならないのだ」

「だって、そのために野迫川さんの家に行ったんでしょう？　祭壇と十字架があるのを承知で」

「……口ではなくて手を動かせ」

実のところ、瑞祥にもよくわかっていないのだ。なぜあの晩、自分は野迫川のもとを訪れたのだろう。たったひとりの祖母を亡くした野迫川に同情したとでも？

茫然《ぼうぜん》自失し、座り込んでいた野迫川。

子供のような無防備さで、自分の孤独を訴えた野迫川――その姿は、瑞祥に孤独の意味を思い出させた。

最後に誰かを失う孤独を味わってから、何十年が経《た》っただろう。

そこから遡《さかのぼ》れば、何度か同じ孤独を経験している。そのたびに、こんな想いを繰り返すのはもうたくさんだと後悔し、なのにまた誰かの手を握ってしまう。

まだ、瑞祥が吸血鬼だということを、人々が容易に認めていた時代……たとえあなたが吸血鬼でもと……そんなことを言ってくれた人間が存在していた時代。あるいは、吸血鬼だとは告げないまま、ただ想いと身体を寄せ合っただけの相手もいる。

軽く頭を振って、回想を中断する。

過去を振り返ることに意味はない。時間の逆回転はあり得ないのだ。

再びペンを動かし始めてすぐ「ごめんください」という男の声が、玄関先から聞こえてきた。いつも来る宅配業者とは違う、やや野太い声だ。野迫川が廊下を進む足音が続く。対応は野迫川に任せようと思っていた瑞祥だが、ややあって聞こえてきた「なにを言っているんですか！」という怒鳴《どな》り声に、ペンを置いた。

「どうしたんでしょう?」

ケイトも尻尾をピンとさせて警戒した。

「見てくる。おまえはここにいなさい」

言い残して書斎を出ると、ふたりの来客と対峙《たいじ》している野迫川が見えた。

「失礼な、帰ってください」

「いや、しかし、目撃証言がですね……」

「令状でもお持ちなんですか。でなきゃ強制力はないはずでしょう! 先生は忙しいんです!」

「そこは一市民としてご協力を……ああ、黒田さんですか? お騒がせしてすみませんなあ」

半袖《はんそで》のワイシャツを着た中年男が、ぺこりと頭を下げる。もうひとりは制服を着た若い警官だ。上背《うわぜい》があって体格がよく、緊張した面持《おもも》ちで会釈《えしゃく》をする。

「なにごとだ」

「先生、先生は奥で仕事を続けてください。この人たちは僕が」

「ここは私の家だぞ。いったいなんなんです?」

野迫川より一歩前に出て、瑞祥はふたりの男を見る。

「夜分に申し訳ありません。私は目黒警察署の藤家《ふじいえ》といいます。こっちは二丁目派出所勤務の田《た》代《しろ》です。実は、例の連続噛みつき魔の事件に関してですね、ちょっと署までご足労願えないかと思いまして」

「先生、行く必要ありません」

野迫川が断固たる調子で言い放つ。一見腰は低そうだが、しつこそうな中年刑事は「いやいや困ったなあ」と苦笑して見せた。

「確かに強制はできませんから、こうして頭を下げているわけでして……」

「私になにが聞きたいんです？」

「新聞、お読みになられましたよね？　三人目の被害者が、比較的はっきり犯人を見ているんですよ。ま、後ろ姿ですが」

「ああ。そうらしいが」

「上から下まで真っ黒で、そう、ちょうど今の黒田さんのように」

「ちょっと待ってください」

ズイと前に出た野迫川は、まるで瑞祥を庇《かば》うような位置に立つ。

「それっておかしいじゃないですか。私が犯人だったら、ふだんから犯行のときと同じ格好なんか絶対にしません。怪しまれるに決まってる。子供だってわかる理屈だ」

「ええ、もちろん。ですが、その考えを逆手《さかて》に取るという可能性もあるでしょう？」

「考えすぎです」

野迫川はきっぱりと言い切るが、刑事も簡単には退《ひ》かない。

「それにですねえ、他にも何件か出ている目撃情報が、どうも黒田さんに似通っているんですよ。背が高く、筋肉質で……」

「背が高くて筋肉質な人間なんか、ごまんといます。この近辺に住んでいる背が高くて筋肉質な男を、全部しょっ引くおつもりですか」

「いやいやいや、こりゃ困ったなあ」

「だいたい人の仕事中に、アポもなく訪れて警察に来いなど、失礼極まりない」

「いえ、今頃はもうお仕事は終わっているかと思ってですね」

「マンガ家のコアタイムは午後から深夜ですよ。そんなこと、世界の常識です。とにかく、先生は出頭しません。先生は夜道で女性に噛みつくような人ではありません。担当者である僕が誓って言えます」

まんざら蟷螂《とうろう》の斧《おの》でもなく、野迫川の気迫は見応《みごた》えがあった。ついさきほどは冗談交じりとは言え、人を通り魔扱いしていたくせに……なんだかんだ言っても、瑞祥が変態エセ吸血鬼などとは違うということを、ちゃんと理解しているのだろう。そう思うと、悪い気はしない。

「いやあ、参ったな。えーと、おたくさんはどなたで？」

「向談社《こうだんしゃ》の野迫川と言います。黒田先生の担当者です」

「ああ、なるほど……。野迫川さん、頼みますよ。本当に話を聞きたいだけなんです。それに、こんな言い方はアレですが……あまり頑《かたく》なに拒まれると、かえってよくない場合もありますよ」

チラチラと上目遣《うわめづか》いに瑞祥を見て、刑事が言った。いやな圧力のかけ方をする男だ。制服警官のほうは押し黙ったまま立っているだけで、なんの役にも立っていない。

「ご一緒して、ちょっとお話を聞かせていただいて、ねえ。なに、すぐお帰りいただけますよ。我々に拘束力《こうそくりょく》があるわけじゃな――」

刑事のセリフが半端《はんぱ》なところで止まった。

驚愕《きょうがく》して、目を見開いている。

隣の制服警官にいたっては、顎が外れそうな勢いで口を開けている。

無理もない。

瑞祥だって、驚いていた。

いきなり野迫川の腕が首に巻きついたかと思うと、グイと頭を下げさせられて……唇に唇が重なった。というか、ほとんどぶつかってきたようなものだ。眼鏡のブリッジが瑞祥の顔にも当たっている。

口づけはほんの数秒のものだったが、妙に長い時間にも感じた。野迫川が服の内側に十字架をつけているせいか、瑞祥の肌が熱くなり、胸がちりちりと痛む。だが我慢できないほどではない。

「ぷはッ」

息を止めていたのか、唇を離すなり、野迫川が空気を吸い込む。

刑事たちはまだ固まったままだ。

「――これで、おわかりでしょう」

ずれた眼鏡の位置を直し、野迫川が言う。

「黒田先生は女性を襲ったりしません。女に興味なんかないんです」

「……そ……」

「先生はね、僕のような美青年がお好みなんですよ」

自分で言うあたりが自己陶酔しやすいオタク的だな……と、内心ではいろいろ思っている瑞祥だが、ここは野迫川の芝居につきあうことにした。わざとらしく肩など抱いてみる。

「そういうわけなんです」

「そ、そういうって……」

「美青年ばかり襲われる事件が起きたら、どうぞ私のところへまたおいでください。さあ、藍、仕事を続けよう」

野迫川の背がピクリと震えた。それらしく「藍」などと名前を呼んでみたことに反応したらしい。大胆なんだか臆病なんだかわからない男だ。

刑事はいまひとつ不服顔だったが、これ以上は粘《ねば》れないと判断したのだろう。またうかがうかもしれません、などとありがたくない捨て台詞《ぜりふ》を残して玄関を出た。一方で体格のいい制服警官のほうは、刑事が先に出たことを確認すると、やおら背中からサッと色紙を取り出し、

「サ、サインお願いできますかっ。『ゴスちゅる』全巻持ってますッ」

と声を震わせる。

野迫川は呆れた顔をしていたが、断るのも面倒なので、瑞祥は手早くサインを書いてやった。米つきバッタのように何度も頭を下げて、制服警官が帰る。

「はぁ……」

玄関の鍵をかけた途端、野迫川の身体から力が抜けていくのがわかった。

「ずいぶん熱弁を振るっていたな」

「そりゃそうですよ。ああ、疲れた」

「担当者である僕が誓って言えます、か……。そこまでおまえの信頼を得ているとは、私も気がついていなかった。しかも、ある意味身体を張って私を守ったわけだしな」

「当然です。担当ですから」

「今までの担当で、あそこまでする者はいなかった。少しくらいなら誉《ほ》めてやってもいい」

せっかく瑞祥がそう言ってやったのに、野迫川は「はあ?」と眉を寄せる。

「誉めてくれなくていいですから、さっさと原稿を上げてくださいよ」

「そう照れるな」

「照れてません。容疑者として逮捕される前に原稿を上げてください」

「……おい。なんだそれは。おまえ、私の潔白を信じていないのか?」

「信じてますよ、七割方は」

「七割とはなんだ。つまりあとの三割は疑っているということか」

聞き捨てならないセリフを問いつめようとする瑞祥の背中を、野迫川がぐいぐいと押して書斎へ帰らせようとする。

「ほらほら、時間ないんですよ。巻頭カラーが『作者緊急逮捕により休載します』じゃ洒落《しゃれ》にならないんですから。いよいよ時間との闘いです。今日からは仮眠しかできませんからね！」

なんとひどい編集者だろうか。

野迫川がキスの芝居までして庇ったのは瑞祥ではなく、原稿だったのだ。

鬼も落涙し、悪魔もむせび泣く編集者は、本当に瑞祥を寝かせてくれなかった。短い仮眠は許されたものの、それ以外はずっと見張られている。目を充血させた背後霊に佇《たたず》まれて、瑞祥は辟《へき》易《えき》していた。翌朝、やっと野迫川が社に戻ると言ったときは心底ホッとしたほどだ。

「言っておきますが、今夜また来ますから」

「来なくていい。おまえも寝てないんだし、身体を休めたほうが……」

生まれて初めて……ではなく、吸血鬼になって初めて、目の下にクマを作った瑞祥が言う。

「完徹の一日や二日で音《ね》を上げて、マンガ編集が務まるものですか。いいですか、僕はきっちり先生の本を宣伝してきますから、先生はきっちり原稿を」

「宣伝て、なんです？」

聞いたのは、やはり目の下にクマを作っているケイトだ。

集中力が落ちて、もはや尻尾は出しっぱなしになっているが、野迫川はなにも言わない。作り物だとでも思っているのだろう。

「池袋《いけぶくろ》の書店で今日から『ゴスちゅる』フェアなんです。ノベルティグッズもわんさと並べて売りますし、イラスト集の予約をしてくれた人が参加する抽選会では、非売品のグッズプレゼントもあるんですよ。僕は抽選会のアシスタントで」

「あの、もしかして……例の格好でアシスタントを？」

「もちろんですとも」

しゃんと背すじを伸ばして野迫川は答える。もはやコスプレは、この男にとって恥ずかしいことでもなんでもなくなったらしい。

「今日はプロのメイクさんもついてくれるんです。先生、あの衣装またお借りしますから」

「好きにしてくれ……」

「好きにします。えーと、イベントが六時からで、打ち上げもちょっと顔を出しますから……でも十時には戻ります。明日の朝イチで印刷所に持っていく予定ですから、そのつもりで進行してくださいね」

もう声を出す余力もなく、瑞祥は手首をひらひらと折った。わかったから早く行け、の意味である。

大きな紙袋三つにチュルの衣装を詰め、野迫川は元気に出ていった。

やっと消えてくれた背後霊にホッとしつつ、とりあえず冷凍保存していた血液を流水解凍して、ストローを刺して飲む。以前電子レンジで解凍しようとしたら、煮えてしまって飲めたものではなかった。血液はチンしてはいけない。

「瑞祥様、これが話に聞く修羅場《しゅらば》というやつなんでしょうね」

もはや耳まで出てしまったケイトが、ミルク片手にカリカリをむさぼりながら呟く。

「そうなんだろうな……この国でマンガ家になって何年か経つが、初めての経験だ」

「ボクは猫なので、眠らないのはホントにしんどいです」

「私だって長年、一日八時間睡眠を厳守してきたんだ。こんなことをしていたらお肌が荒れてしまう。……奴もいなくなったことだし、三時間くらい寝てもいいだろう」

「でも、そんなに寝たら原稿進みません……あとで叱《しか》られるのは瑞祥様ですよ」

結局、互いに交代で一時間ずつ仮眠を取ることにした。一時間たったら容赦《ようしゃ》なく起こそうという話になり、先に寝た瑞祥はケイトの爪で引っ掻かれて起き、寝るなり猫に戻ったケイトは、風呂に突っ込まれて「ミギャア!」と目覚めた。

いったい自分はなにをしているんだ。

こんなことでは吸血鬼である以前に、ただのマンガ家になってしまうではないか。

何度も「もうやめてやる」と思いかけた瑞祥だが、そのたびに野迫川の言葉を思い出す。

——チュルのためなら、僕はなんでもやれます。チュルは僕の親友だから。

野迫川のような、あるいはそこまでの熱心さはないにしても、似たような気持ちでチュルを待っている読者が、他にもいるのだろうか。ただのマンガに、想像の産物に、心を添わせて泣いたり笑ったり……している人々が。

瑞祥は、初めて読者という存在を意識した。

そうしたら、ペンが置けなくなった。

「ケイト、何時だ?」

「正午です。この調子なら、楽勝ですね。仮眠を一時間で我慢した甲斐《かい》がありました」

ということは、野迫川が戻るまであと十時間——瑞祥は壁の古い時計を睨みつつ考える。

そしてある決意をしたのだ。

Ψ

イベントは大盛況のうちに終わった。

チュルの衣装に身を包んだ藍は拍手と喝采《かっさい》で大勢のオタクたちに受け入れられ、フラッシュの雨に身を打たれた。

危険な快感だった。癖《くせ》になりそうで怖い。

四か月後に発売予定のイラスト集も、予約は想像以上の集まりで、用意しておいた用紙が足りなくなるほどだった。慌てて追加のコピーをして事なきを得たが、まだまだ衰えを見せる気配もない『ゴスちゅる』の人気ぶりに、藍も内心で驚いたほどである。

「おっ、と……なんか足がふらついてるな……ほとんど飲んでないんだけど」

駅から黒田邸への道のり、段差もない路上で躓《つまず》きそうになる。

打ち上げは一時間だけで暇乞《いとまご》いした藍だが、それでも腕時計は十一時近い。早く帰って黒田を急《せ》かさなければと足を進める。そしてまた、躓きそうになる。

「あ、そっか……チュルのブーツだから歩きにくいんだよな……」

厚底ブーツは重いのだ。

ちなみにブーツだけではない。現在の藍はチュルコスプレ、フル装備である。コルセットつきワンピもヘアピースも帽子もつけている。勢いづいてチュルのまま打ち上げに行き、着替えると荷物が多くなるなあと思い、面倒なのでそのまま帰ってきてしまった。ちなみに駅前まではスタッフが車で送ってくれたので、電車には乗っていない。さすがにチュルで山手線《やまのて》に乗る勇気はなかった。黒田の家の周囲は、ごく静かで人通りの少ない住宅街だから、夜間ならばそうそう人目につくことはない。

八月の夜風が、藍のヘアピースを靡《なび》かせている。

ふと立ち止まって、街の掲示板に目を留める。夏祭りのお知らせには、子供の手と思われる、可愛いスイカのイラストが描かれていた。

「今年はまだスイカ食べてないね、おばあちゃん……」

独りごちて、夜空を見上げた。

スイカは藍の大好物だ。夏の間は、祖母と一緒に濡《ぬ》れ縁《えん》に座り、赤く瑞々しい果実にかぶりつく日も多かった。祖母は藍のために、種まで丁寧《ていねい》に取ってくれる。そこまでしなくていいよと止めようとすると、

――させてちょうだいよ、おばあちゃんは、藍のためになにかしているときが、一番幸せなんだから。

穏やかな笑みで、そんなふうに言うのだ。

「あー……ダメだな。涙腺、メタメタだ……」

ぐすっ、と洟《はな》をすすって、手の甲で涙を拭《ぬぐ》った。ひとりでいると、どうしても祖母を思い出してしまう。

「その孤独を引き受けろ、か……」

黒田の言葉だ。思い込み吸血鬼のわりには、なかなか含蓄《がんちく》のある発言だった。思い切り悲しんでいいのだ、派手に泣いていいのだ、それが誰かを愛していた証拠なのだから――藍にはそんなふうにも聞こえ、さんざん泣いたあとは、少しだけ楽になった。

さて、あのふたりはちゃんと仕事を進めているだろうか。見張りがいないからといって、サボってやしないだろうな……藍は再び、厚底ブーツでガポガポ歩き出す。

十台ぶんほどのスペースがある駐車場を過ぎて、もう少し行けば黒田邸である。ちょうどこのあたりは街灯の間隔が遠くなる一帯だった。

突然、胸がざわめく。

ざりっ、という足音を聞いた気がしたのだ。気取《けど》られないようにしていたのに、つい立ててしまった足音……そんなふうに聞こえて、藍は思わず立ち止まった。

誰かがあとをつけているような気がする。

いやな予感に振り返ろうとした瞬間、

「——んんッ！」

背後から羽交《はが》い締めにされた。

強い力で喉を圧迫され、思わず開けた口に布きれが突っ込まれる。

両手に持っていた荷物を落とし、肘《ひじ》を振って逃《のが》れようとするのだが、相手が見えないので空振りを繰り返すばかりだ。

「お、おとなしくしろ」

目の前に翳《かざ》されたのは飛び出しナイフだった。

刃渡りは十五センチ程度だろうか。眼前にあるとやたらと大きく見える。

目でも傷つけられたら大変だ、二度とマンガが読めなくなる。藍は身体の力を抜くしかない。暴漢はかなりの体格なのだろう、それなりに体重のある藍を、容易に引きずっていく。

「んッ、むッ、ンーッ！」

駐車場の中ほどに止めてあったバンの陰に連れ込まれた。道路からはまったくの死角になる場所だ。

どんっ、と乱暴にバンの車体に押しつけられ、額《ひたい》がガラス窓にガツンとぶつかった。背中からは男が身体を密着させてくる。

「へ……へへ、チュルだァ」

「んがうッ！」

違う、と叫んだつもりだった。

僕はチュルじゃない。というか、それ以前に女の子ですらない。

胸を触って確認してくれ、フカフカとパッドの感触がするだけだ。あんただって襲ったのが男じゃあとで後悔するだろう——と説得したかったが、声は出せない。

おまけにフリフリのゴスロリ衣装のせいで、相手も藍のボディーラインがわかっていないのだ。ハアハアと荒い鼻息を聞かせながら、無闇に腰を押しつけてくる。鳥肌が立つほどに気持ちが悪い上、両手を背中側で押さえつけられているので、肩が外れそうに痛い。

くんくんと、男は藍の首すじを嗅《か》いでいる。

「チュルがいるなんて超ラッキーだよぉ……ちょっとでかすぎる気もするけど、べつにいいや……ねえ、吸血鬼なのに血を吸われちゃうのって、どんな感じかなあ?」

なんだと?

血を吸われる?

バンの窓に額をつけていた藍は、身を捩《よじ》るようにして車と身体の間にわずかな隙間を作った。そしてガラスに映る自分と、背後の男を見る。光量が少なすぎてはっきりはしないが、男は黒い目出し帽を被《かぶ》り、着ているものも黒ずくめだった。

こいつか、と藍は瞠目《どうもく》する。

吸血鬼通り魔、嚙みつき魔……新聞を騒がせている変態だ。

「や、やっぱ、クツジョクテキなのかなあ……無敵のはずのチュルが、男に押さえ込まれて、こ、こんなことされて……」

「ヴ……ッ」

グリグリと臀部《でんぶ》に押しつけられているものがなんなのか、藍は考えたくもない。

こんなことなら、ちゃんと着替えて帰るべきだった。しかし、誰がこんな事態を予測できるだろうか。ゴスロリのコスプレをした二十四歳成人男性が、吸血鬼気取りの変態に襲われるなんて——まるでスポーツ新聞の眉唾《まゆつば》記事である。世間様は同情より失笑をくれることだろう。

「チュ、チュルの血は、どんな味かな……」

男が片手で目出し帽を鼻まで上げる。

現れた口からは、興奮のためか涎《よだれ》が流れていた。いや、涎だけではない。はっきりと牙《きば》が覗いている。

藍は我が目を疑った。嘘だろ、なんで人間にあんな牙があるんだ？

やばい、噛みつかれてしまう。

あれが刺さったら相当痛いに違いない。

「ヴ、ヴーッ！　ンッ、ングッ！」

満身の力で暴れるのだが、悔しいことに男はびくともしなかった。それどころか必死に逃れようとしている藍の様子を楽しんでいるかのように、低い笑い声を聞かせる。

「うっ！」

男の片手が後ろ襟《えり》を乱暴に摑んだ。

「あんま動くと、刺すよ？」

ナイフをちらつかせて男が言う。

息を止めて固まった藍の後ろ襟に、ひんやりとした刃先が入り込んでくる。ぴりぴりと微かな悲鳴にも似た音を上げて、赤と黒の繊細《せんさい》なレースが裂かれた。

藍の首すじが晒《さら》される。

これはもう、観念するしかないだろう。

なにも殺されるわけではない。嚙みつかれたくらいで死ぬ奴はいない。もしかしたら、嚙みつかれたあとに金品を奪われるかもしれないが、所持金は二万程度だから諦《あきら》めがつく。藍が女性だったら暴行される懸念《けねん》はあるが、いくらなんでもそこまでしようとしたら、この変態も自分の間違いに気づくはずだ。

……待て。むしろこいつは怒り狂って、ナイフを振り回しはしないか？

藍を滅多刺《めったざ》しにしてしまうのではないか？

冗談じゃない。祖母のあとを追うのは、いくらなんでも早すぎる。

「んーッッ！」

尖《とが》ったなにかが、柔らかな皮膚に食い込み、藍が喉の奥から必死の声を出した刹那《せつな》——

「ぐがッ！」

うめき声が聞こえ、腕の縛《いまし》めがなくなる。

藍をバンに押しつけていた圧も消えて、身体が楽になった。同時に、膝がカクカクと震えて、その場にへたり込んでしまう。

「げ……ごほっ……」

自由になった手で口の中の布きれを取り出し、激しく噎《む》せる。ずれてしまったヘアピースをかなぐり捨てて、藍は顔を上げた。

目出し帽をずり上げた男が、襟首を摑まれて持ち上げられていた。

えっ、と思いよくよく確認した藍だが、確かに足先は地面についていない。刃が出たままのナイフが落ちているのが見えた。

持ち上げているのは、背の高い男だ。

黒いジャケットに黒いスラックス――インのシャツだけが血の色のように赤い。

男は片腕一本で、特に力んだ様子もなく、自分より横幅のある変態を掲げている。

「いい度胸ではないか」

テノールの美声――黒田だ。

「私ですらまだ手をつけていない獲物なのだぞ？　汚い手で触ってもらっては困るな」

「ぐ……う、がっ……」

もう一方の手で男の目出し帽を完全に取り去る。現れた顔を見て藍は「あっ！」と声を上げた。

あいつだ。

刑事と一緒に来た、制服の警官だ。黒田にサインをねだっていた、あの男。

捜査している人間が犯人だったとは――道理でなかなか捕まらないはずである。

「……どこかで見た顔だな」

サインをした本人は覚えていないらしい。

「貴様が最近噂《うわさ》の嚙みつき魔とやらか？　うん？　なんだ、このみっともない牙は」

「あがっ」

黒田が男の牙をもぎ取る。どうやら入れ歯や差し歯の類《たぐい》らしく、しごく簡単に外れてしまう。

「はっ。もっとしっかりしたのを歯医者にでも作ってもらいたまえ。……ずいぶんご活躍のようだが、おかげで私は大変迷惑をしている。貴様がどこの誰に噛みつこうが自由だが、もっと遠い場所でやってほしいものだ。私に嫌疑がかからないようにな」

「う、ぐうっ……はな……せ……ッ」

「いいとも」

黒田はあっさり手を離した。

男の足が地についた途端、「後学《こうがく》のために教えてやろう」と冷たい笑みを見せる。

「いいか。吸血鬼とは——こうやって血を吸うものだ」

黒田が男の喉に食らいついた。

血飛沫が——藍のもとにまで届く。

頬に一滴、手の甲に一滴。

男は仰《の》け反《ぞ》ったまま、目を剝いてヒクヒクと震えている。

なにが起きているのか。目の前の光景はいったいなんなのか。

頭が真っ白になってしまい、藍はなにも考えられない。

いまわの際《きわ》の獣にも似た痙攣《けいれん》が止まり、男が脱力した。だらん、となった身体を、まるでボロ切れを放るように、黒田が手放す。

どさりと地面に倒れ込んだ男は、ビクリと一度だけ震え……動かなくなった。

黒田が藍を見る。

「これでわかったか？」

血にまみれた口が開く。ふだんは見えない尖った犬歯が、真っ赤に染まっていた。

「私が本当に吸血鬼だということが――わかっただろう？」

問いかけに答えることすらできず、藍はよろめきながら立ち上がった。震える膝を叱咤してバンに寄りかかり、頭を横に振る。

嘘だ。あり得ない。

これはきっと夢だ。

徹夜明けでコスプレなどしたおかげで疲労がピークに達し、起きたまま夢を見ているのだ。

「なにを突っ立っている。行け」

黒田が……吸血鬼が言う。藍は動けないまま、呆然《ぼうぜん》と黒田の顔を見ていた。

ざり、と黒田が一歩近づく。

「おまえも血を吸われたいのか？　さっさと行け！」

強い語調に突き飛ばされるようにして、藍は走り出した。

縺《もつ》れそうになる脚を懸命に動かし、駐車場を駆け抜ける。無我夢中で大通りまで疾走し、通りを遮《さえぎ》るように無理矢理タクシーを止めた。轢《ひ》かれても文句は言えない飛び出し方だった。

「お嬢ちゃん、危ないって！」

文句を言ったドライバーは、乗り込んできた藍を確認した途端、口を噤《つぐ》んで「わっ、やばい客だ」という顔をする。あからさまな反応だったが、構っている余裕はない。藍の心臓は、あとひと跳ねで口から飛び出しそうだった。

「も……森下《もりした》まで、お願いします」

かろうじて出た声で、藍は自宅の住所を告げた。

5

愚かなことをしたものだと思う。

浅慮《せんりょ》な己に、頭痛がする。いや、この頭痛は睡眠不足のせいか——瑞祥はこめかみを揉《も》みながら原稿をチェックしていた。微妙にトーンがはみ出している箇所をひとつ見つけ、慎重に余分を切り取る。あとは問題ないようだ。

完成、である。カーテンの隙間から、朝日が差し込む時間だ。

書斎の隅ではケイトがすでに猫に戻って爆睡している。瑞祥にしても、すぐベッドに入っていいほど疲れているはずなのに——ちっとも眠いと思えない。久しぶりに新鮮な血を得たせいだろうか。変質者の血液は美味からはほど遠いにしろ、飲めないこともなかった。

吸血行為には、いくつかの意味がある。

まず、単なる栄養補給のため。さらには、性的な意味を含む場合。そして相手を屈服させ、自分の力を示すため——今回瑞祥が男を襲ったのはこのケースに当たる。

野迫川が吸血鬼もどきの変態に襲われているのを見たときは、身体に火がついたような怒りを覚えた。あの身体に他の男が触れるなど、許しがたかった。

自分でも驚くほどの独占欲に翻弄《ほんろう》され、瑞祥は己《おのれ》の力を誇示したのだ。

「……ただの、オタクではないか」

自分に言い聞かせるように呟く。

無愛想で生意気で、融通のきかない男。十字架などぶら下げているものだから、血も吸えやしない。人を脅して原稿を取ろうとする上、作品の内容にまで口を出す図々しさ。

……だが、なによりマンガを愛している。瑞祥の作品を、愛してくれている。

執務椅子《いす》に寄りかかり、重いため息をついた。どうやら自分は、野迫川藍のことが気になって仕方ないらしい。しばらく前から、うすうす感じていたのだ。よくない傾向だと思ったからこそ、この感情を深く押し込めようと努めた。

ひとりの人間に興味を持つのは危うい——ましてその興味が好意に変わったりした日には。だいたい、滑稽《こっけい》ではないか。

野迫川の興味は瑞祥のマンガにあるだけで、瑞祥自身になどかけらほどもないというのに。だからこそ正体を明かした。野迫川を自分から遠ざけるには手っ取り早い方法だ。できあがった原稿を取りに来るのは、落合編集長あたりだろう。仮に野迫川が「黒田瑞祥は吸血鬼だ」と騒いだところで心配はない。

誰がそれを事実だと思う？　この世には吸血鬼などいない——人間たちがそう信じ込んでいる限り、それが彼らにとっての真実だ。

野迫川もいずれは、自分は夢でも見たのだと納得する。ただし恐怖心だけは強く残るから、ここを訪れることは二度とないだろう。

「そう、もう二度とは来ない……」

「誰がです？」

「うわっ！」

しんみりと独りごちたつもりだったのに、真後ろから返事をされて瑞祥はひどく驚いた。椅子をぐるりと回転させると、二度と来ないはずの人物が立っている。

「な……おまえ……」

「原稿をいただきに上がりました」

淡々と野迫川は言った。

もうチュルの格好ではない。青い綿のシャツに、カジュアルなパンツを穿《は》いている。自宅で着替えたのだろう。疲労の影は濃いものの、いつもと同じ表情、同じ声だった。感心すべきか、呆れるべきか……この期《ご》に及んで吸血鬼屋敷に原稿を取りに来るのだから、見上げた根性だ。

「これですね。拝見します」

ぬっと伸びた手が、勝手に原稿を取る。野迫川は踵《きびす》を返すと定位置のカウチに腰掛け、原稿を一枚ずつ、丁寧に確認し始める。

途中で、その顔つきが微妙に変化した。

目を細め、さかんに瞬きをし、口元がほんのりと綻《ほころ》んでいく。

「……ショータが」

顔を上げて言う。

「ああ。死んでない」

瑞祥は最後の数枚を描き直したのだ。

ショータはチュルを守ろうとして無謀にも強敵に向かっていくが、結局ビルの屋上から突き落とされてしまう。だが、潰《つぶ》れたトマトと化す寸前、蝙蝠《こうもり》型の翼を広げたチュルが救出する。

「すごい。デビルウイングみたいな翼だ」

「なんだそれは」

「……先生、昔のマンガも勉強したほうがいいですよ。ああ、このセリフ、すごくいいですね」

瑞祥が書き足したネームのことだろう。ショータを助けたチュルが泣きながら訴えるシーンである。

——馬鹿、弱いくせに、あたしを守ろうとしないで。命なんか賭《か》けないで！　そんなのちっとも嬉しくない。ショータが生きていることが、あたしの支えだって、なんでわからないの？

「チュルも可愛いし、ショータの情けない顔もいい」

「ふん。お涙頂戴《ちょうだい》だ」

「きっと読者も喜びます。あ……写植《しゃしょく》を変更しなくちゃ」

「変更データは落合編集長に送ってある。もう修正データが印刷所に行っているだろう」

「そこまでお気遣いくださったんですか。ありがとうございます……本当に、お疲れ様でした」

野迫川は深く頭を下げると、原稿をケースにしまい込み、さらにそれを鞄《かばん》に入れた。ファスナーをしっかりと閉じ、鞄を持って立ち上がる。

さあ、今度こそさよならだ。

吸血鬼からでも原稿を取る編集に、敬意を表してやってもいい。せめて玄関まで見送ろうと瑞祥も立ち上がった。

だが、野迫川は鞄を再びカウチに置いてしまう。なにを考えているのか、数歩進み、瑞祥の目の前に立つ。顎を上げて瑞祥をじっと、それこそ穴が空きそうな勢いで瑞祥を見つめていたかと思うと、やおら人の上唇を両手でムニッと持ち上げた。

「あ、あにをふウ！」

なにをする、すらまともに発音できない。

「牙……ないですよね」

「あがっ……は、放せっ……いたた、おまえはいったいどこまで失礼な奴なんだ！」

野迫川を引きはがし、瑞祥は自分の口を手で覆う。牙は必要なときにしか出ない。

「……。僕が見たのは夢なんですか？　なんだか混乱しているんですが」

「その顔で？　ちっとも混乱しているようには見えないぞ」

「能面顔は昔からです。先生、答えてください。あの男は……嚙みつき魔は、死んだんですか？」

「生きている」

瑞祥は答えた。殺せばさすがに大事《おおごと》になる。その手の騒ぎは好ましくない。

「目出し帽を被せて道路に転がしておいたから、警察が回収しただろうよ。これで嚙みつき魔事件は一件落着だ。意識が戻っても、自分が嚙みつかれたことは覚えていない」

「……やっぱり、夢ではない……？」

「夢にもできる。おまえがそう思い込めば、夢になる。忘れることだって簡単だ。なんなら手を貸してやるぞ」

「忘れる……」

「忘れろ。それが一番賢い選択だ」

野迫川の瞳が揺れていた。懸命に考えているのだ。非現実的な事象を、瑞祥という存在を、受け入れるべきか、拒否するべきか……もちろん正答は後者だ。

人間は吸血鬼を受け入れられない。

チュルが受け入れられたのは、マンガの世界だからだ。

「——いやです」

瞳の揺らめきが消え、強い視線が瑞祥を見据えた。

「なんだと？」

「いやです。僕は……忘れたくない。先生が僕を助けてくれたことを忘れたくない」

「野迫川……」

「祖母が亡くなったときに来てくれたのも、ショータを殺さないでくれたのも、忘れたくない」

「……気まぐれにそんなことを言うと、後悔する羽目になるぞ」

人差し指で細い顎を上げさせ、瑞祥は警告する。

「いいか、おまえを守る十字架の効用は、祖母の死とともに次第に弱くなる。今後はいつ私に血を啜られるかわから……」

「あっ」

素《す》っ頓狂《とんきょう》な声が瑞祥の言葉を遮る。野迫川は慌て気味な手つきで、自分の胸元を確認し「ない」と呟いた。

「なに？」

「ないです……。つけてくるの、忘れた……」

「なんだと？」

腰を引き寄せ、服の上から確認する。鎖骨から胸の中心線に沿って指を滑らせると、ピク、と野迫川の身体が小さく揺れた。確かに十字架のペンダントはない。

「おまえ……わりと間抜けだな」

「し、しょうがないでしょう。すごく慌ててたんだからっ」

「なぜ」

「だって、だって僕は」

野迫川の耳が赤く染まり、声が上擦《うわず》った。

「僕は……先生がいなくなってしまうんじゃないかと思って心配で……！」

「心配？」

「そうですよ、心配したんです！　あれが夢でないなら、正体を見られたあなたは、姿を消してしまうんじゃないかと思って――あなたがいなくなったら、そしたら……」

俯《うつむ》いていた顔が、唐突に上がる。

野迫川は瑞祥の両袖を強く摑み、睨みつけるほどに強い目で見つめてくる。心配した……会えなくなるのかと、心配した？

瑞祥も野迫川を見つめる。

「そしたらっ、原稿はどうするのかと！」

「…………は？」

「落ちちゃうじゃないですかっ！　巻頭カラーが落ちるなんて、あり得ませんよ！　業界の恥晒しですよ！　僕は編集長に顔向けできませんっ！」

「……おい。おいおい、ちょっと待て。おまえは、私が吸血鬼でも構わないからマンガを描けと、そう言っているのか？」

「はい」

「……いいか、よく考えて返事をしろよ？　おまえの中で、原稿が落ちるのと、吸血鬼を発見するのとでは、どっちのほうが重大事件なんだ」

「そんなの原稿に決まっているでしょう」

しごく真面目《まじめ》な顔で野迫川が答える。ここまでのマンガ馬鹿だとは……瑞祥は呆れるあまり、次の言葉が見つからない。

「原稿第一です。先生の原稿のためなら、僕はなんでもします。最初にそう言ったはずです」

なんでも……そう、なんでもすると言った。実際、コスプレまでしたのだ。

そしてこの男はもうあの忌まわしい十字架をつけていない――ならばこれは、チャンスと言えないか？

「せ、先生……？」

瑞祥は長い腕を回し、野迫川の身体を搦《から》め捕った。

「いいだろう。協力し合おうではないか」

「協力って……」

「つまりあれだ。献血にご協力くださいというやつだ」

野迫川が目を見開いて、瑞祥の腕から逃れようと藻掻《もが》く。今さら遅すぎる抵抗に、瑞祥は薄く笑った。こう来なくっちゃ、楽しくない。

「怖いのか」

「そ、そりゃそうですっ」

「あの男とおまえは違う。もっと丁寧に扱うし、痛みもほとんど感じない。少しくらい血を吸われたところで、我々の仲間にはなったりしない。その点も安心していい」

「だ、だけど」

「おまけに、作品のためにもなる」

「え」

じたばたと足掻《あが》いていた身体が止まる。

「新鮮な血液は私の心身を充実させる。創作意欲が高まり、仕事の能率もよくなる。つまりおまえの血は……私の作品に還元されるというわけだ」

我ながら都合のいい解釈だが、まあ嘘ではない。

「僕の血が……チュルに還元される……？」

そうだ、と耳元で囁いた。

細い首の動脈が脈打つたびに、野迫川の血が甘く香る。すぐにでもかぶりつきたい衝動を抑えて、そっと唇で辿《たど》ってみた。なんとすべらかで瑞々《みずみず》しい皮膚なのだろう。

自分だけのものにしたい。瑞祥が吸血鬼だろうと構わないと言った、この希有《けう》な男を……他の誰にも渡せない。渡したくない。

さあ早く、マーキングしてしまわなければ。

「私の才能と、おまえの血が交わったとき、また新しい作品が生まれるかもしれない」

瑞祥が殺し文句を囁いた刹那、野迫川の膝からカクンと力が抜けた。

Ψ

「……ちょっ……待ってくださいッ」

「待たない」

「や、やっぱり、もう少しよく考えてみてから……」

「却下」

腕力の差は歴然としていた。

藍の身体をベッドに押さえつけておくくらい、黒田には片手一本で充分な仕事らしい。

シャツのボタンを外され、大きな手が喉から胸を撫で下ろす。もう一度上がってきて、首の付け根で止まった。

「あ……」

柔らかい皮膚をいたずらするようにくすぐっている。

ここから、血を吸われるのか。

これは本当に現実なのか、あまりにリアルな長い夢ではないのか。それが知りたくて藍は唇を強く嚙んでみた。痛い。こんな痛みは、夢では生じない。

「こら。なにをしている」

黒田は指先で藍の唇に触れて、嚙むのをやめさせた。その瞬間に走った震えの正体が、藍にはわからない。

すでに夜明けの時間だが、重いカーテンが部屋を薄暗いまま保ち、灯《あか》りはベッドサイドのアンティークランプだけだ。

作り物のように美しい顔が、藍を見下ろしている。眼鏡はとうに取られてしまったが、これだけ間近ならば表情ははっきりわかった。なぜこんなに優しい顔をしているのだろう。これから獲物に食らいつく吸血鬼の顔とは思えない。

まるで――恋人でも見つめているかのように、優しい瞳。

「私は甘党なんだ」

「……はい？」

「人間の血が最も甘くなる瞬間を知っているか？」

「い……いいえ」

意味ありげに微笑《ほほえ》んだ黒田は「ならば今から教えよう」と藍の耳たぶを噛む。いつがぶっ、と来られるかびくつく藍を楽しむように、黒田の唇は喉や肩、胸元で遊ぶ。

「え……やっ……」

シーツの上で、藍は驚いて身を捩《よじ》った。黒田の手が、予想もつかない箇所を探ってきたのだ。

「な、なにしてんですか、先生ッ」

「触ってる」

「なんで、そんなとこ……あっ……」

「だから、血を甘くするためだ。いいからおまえは楽にしていろ」

他人に股間を握られて、リラックスできる奴がいたら、お目にかかりたいものである。

どうにかその手から逃げ出そうとする藍だが、黒田に完全に押さえ込まれているため、動かせるのは指先と頭くらいだ。

「怖いのか？　ああ、男と交わるのは初めてか？」

「ま、交わ……？」

今になって理解が及び、藍は束《つか》の間《ま》言葉を失った。

「そっ……、ちょっと待ってくださいっ、僕は血を吸っていいとは言ったけどッ」

「私はどうせなら甘い血が欲しい」

「勝手なこ……んっ……」

続く言葉は口づけで奪われる。

深く侵入してくる舌に、たいして経験のない藍は対処の方法も思いつかない。息が苦しくて、口を開けると、侵入はより大胆になる。黒田の舌は藍の口内のあらゆる箇所をくまなく訪れ、藍の呼吸を乱した。歯の付け根を探られる感触に困惑し、飲み込めない唾液が溢《あふ》れ出て顎を濡らす。

「ん、は……っ」

「……なるほど、まだ初《うぶ》なのだな。ならば特別サービスだ」

キスの合間に黒田が囁き、自分の唇をぷつりと噛んだ。

下唇に赤い小さな球が生まれ、ぽつりと藍の唇に落ちる。続けて、二滴、三滴——唇の隙間から口内に入り、喉に流れ込んでいく。吸血鬼の血は不思議と鉄臭くなく、植物の蜜のように薄い甘さがあった。

直後、変化が訪れる。

「……は……あ、あ……っ、な、に……?」

身体がおかしい。

尋常ではない熱と疼《うず》きが、胸と腹部から生まれる。それらは身体の深部から表皮へと、たちまち広がる欲望のマグマだ。藍は戸惑《とまど》い、思わずベッドの上でずり上がった。

「あ……熱い……っ」

「吸血鬼の血は最高の媚薬だ。すぐ身体に馴染《なじ》んで、深い快楽を与えてくれる」

「う、嘘……っ」

「嘘かどうか、おまえが今身をもって体験しているだろう？」

黒田の手が藍の肩を摑んで引き戻す。

繊細さと器用さを持つ手にシャツはすっかりはだけられ、指先が左の乳首をキュッとつまみ上げた。

「……ッ！」

小さな痛みに身を竦《すく》ませると、耳元で小さく笑うのが聞こえた。

首すじをねっとりと舐められ、舌と唇の愛撫は次第に下方へと移動する。左胸の上に耳を当てられると、髪の感触がくすぐったく、それすらたまらない刺激となって藍の全身に広がる。

「鼓動が聞こえる……心臓が、おまえの血を全身に巡らせている音だ。命のリズムだ」

うっとりと、歌うように黒田が呟いた。

「あ、……っ……」

熱い舌先が、先ほどつまみ上げられた突起を柔らかく舐《ねぶ》る。

舌先で掘り起こされ、小さな水音をたてて吸われると、ふだんは控えめな突起が色づき、ふっくらと立ち上がった。

ひりつくような感覚はすぐに快い刺激に変化する。軽く歯を立てられれば、ズゥンと尾《び》てい骨《こつ》にまで甘く響き喘《あえ》ぎが零れる。

エロティックなマンガじゃあるまいし、こんなに突然、感じまくる身体になる展開なんてあるはずがない——そう考えはするのだが、身体は思考を裏切り続ける。

「んっ……」

反対側も同じように愛撫されながら、下半身の着衣が解かれていく。下着にひっかかる自らの勃起が恥ずかしくて、藍はなんとか身体を捩ろうとするが適わない。

「やめっ……」

「はち切れそうだな……これでは痛いだろう？　楽にしてやる」

ふわりと身体が軽くなったのは、黒田が藍の上から退《ど》いたからだ。安堵《あんど》したのも束の間、脚からするりと下衣を抜かれ、今度は両脚の間を陣取られる。

「え……あ、あ、やめ——ッ」

溶ける。

そこを咥《くわ》えられ、直接的な愛撫で追い立てられ、藍はもう自分がどんな声を出しているのかもわからない。

「は……う、だ、だめ……あっ、ああっ、……はなし、て……ッ」

茎に沿って扱《しご》かれるように刺激され、先端に舌が巻きついてくる。巧みな攻めに堪《こら》えようなどなかった。羞恥《しゅうち》を覚えるほどにあっけなく、藍は禁を解いてしまう。

昂《たか》ぶった身体を仰け反らせ、ふだんよりも長い絶頂感に身を震わせる。

黒田は最後の一滴まで吸い尽くすように、藍のペニスをずっと喉奥に含んでいた。

「……う……」

これほど強烈な快感は味わったことがない。おまけに、達したはずのそこは、未《いま》だ芯を持ったような硬さを保持している。

「あ……あ、あ……」

心臓は爆発しそうなのに、身体の熱は治まらず、さらなる熱さを求めていた。どうしたらこの狂ったような熱さが治まるのかがわからない。駆け巡る血潮を落ち着かせる術《すべ》がわからない。

怖い。自分の身体が怖い。

藍は無我夢中で黒田に縋《すが》りついた。悔しいが、解決できるのはこの男だけなのだ。

膝を大きく割られ、最奥《さいおう》にぬるりとしたなにかを塗りつけられる。それがなんなのかを確認する余裕すらない。長い指に侵入された瞬間、藍は背を反らせ、声にならない悲鳴を上げた。

痛みからではない。まだ痛いほうが、納得できた。この痺《しび》れるほどの快楽はなんなのだ。瑞祥の身体から立ち上る香りまでもが、藍を骨抜きにしてしまう。

「ひっ……あ、あぁ……」

指が増やされていく。

悲しいわけでもないのに、涙が目尻から溢れてしまうのはなぜだろう。きっと、身体がパニックを起こしているのだ。

自分ですら触れたことのない部分……そんな場所に快楽を生み出すスイッチが隠されているなんて、ずっと知らなかった。

黒田が藍の涙を吸い取る。

「……どうした？　つらくはないだろう？」

「う、う……あっ……」

「泣くな。おまえを苛《いじ》めたいわけじゃない」

知っている。苛めたいわけではなく、ただ血が欲しいだけ……吸血鬼とはそういう生き物なのだと言われれば、仕方ない。

黒田に血を吸われ、彼の一部になって、彼の作品となる——その提案を受け入れたのは藍なのだ。今さら悔やむ気はないけれど……ただ少し、心が痛むのだ。

黒田にとって、藍は食べ物でしかない。

だからこれは、愛の行為ではない。

当たり前ではないか。なにを考えている？　この吸血鬼になにを望んでいるのだ？

「……藍」

名前を呼ばれ、ギュッと閉じていた目を開けた。

「泣かないでくれ」

ほら、またそんな目で見る。優しい、とろけそうな目で。

誤解してしまうからやめてほしい。

悔しいけれど、自分がさみしがりやなのは自覚している。大好きなマンガを描くこの男に、そんな目で見つめられたら――勘違いしてしまいそうだ。

「……誰でもいいわけじゃない」

藍の気持ちを察したかのように、黒田は言った。

「私はおまえを選んだ。そしておまえは私を受け入れた。これはひとつの契約であり、約束だ。違《たが》えることは許されない。おまえはもう、私の……」

「あ……っ……ッ！」

想像を絶する衝撃に襲われ、藍は仰け反った。

指など比べものにならない、熱い固まりに押し開かれる。我知らず逃げようとする身体を、強い腕にぐいっと戻された。

「ひ……ッ」

侵略者は、じわじわと奥へ進む。

乱暴ではないが、ひるむこともない。じっくりと時間をかけ、なだめるように頬や鼻先に口づけ、やがてすべてを埋めきる。

「……藍……」

熱っぽい囁きに溶かされる。

ただでさえ熱かった身体に黒田の熱までもを収め、自分が発火しないのが不思議なほどだ。

震える指先で逞《たくま》しい背中に爪を立てる。素肌に触れたいのに、シャツが邪魔で憎らしい。何度か生地《きじ》を引っ掻くと、上半身だけを離して黒田がシャツを脱ぎ捨てた。彫像のように美しい肌が現れ、藍を深く抱き込む——ああ、この吸血鬼はなんといい香りがするのだろうか。

ゆっくりと、身体が揺さぶられた。

「……あ……あ、んっ……」

最初の衝撃が去ると、身体はすぐに、痛みを上回る悦楽を見いだす。

「熟《う》れるのが早いな……素直な身体だ」

「ふっ、あ……あ、熱い……ああ！」

ずん、と強く奥を刺激されると、濡れた粘膜は黒田を締めつけ、うねるように悦《よろこ》ぶ。はしたないほど貪欲《どんよく》な身体を恥じても、自分で制御できないのだ。

「感じるか……？　いい子だ。もっと熱くなれ。ぎりぎりまで高まったその瞬間に、堕としてやろう——」

次第に藍を穿《うが》つリズムが速くなる。

隘路《あいろ》をかき分けるよう往復を繰り返す肉の杭は、藍を身も世もなく乱れさせた。黒田の背に縋っていた手が外れ、シーツをかき混ぜ、強く摑む。脚を高く掲げられ、身体をふたつに畳むかのような姿勢で突かれたときは、脳天にまで快楽が突き抜けていった。

もう、声も出ない。

目が霞《かす》んで、黒田の顔もよく見えない。

腹につきそうなほど勃《た》ち上がったペニスの先端から、透明な雫《しずく》がとろとろ流れ出ている。今にも暴発してしまいそうなのに、直接的な刺激がないせいで、いくにいけないのだ。あまりの苦しさに自分の手を伸ばしかけたが、黒田の手に捕まって、シーツの上に縫いつけられてしまう。

「い……あ、ああっ、あ！」

インターバルを置いていた攻撃が再開される。

ふたりの腹部に揉まれて、藍のペニスがくちゃくちゃと濡れた音をたてる。黒田の雄は藍の弱い部分を集中して攻め、体内に巣食う熱はもはや限度を超えて膨らんでいた。

死んでしまう。

発散させないと、死んでしまう。藍は本気でそう思った。

「あぁァッ！　あ、……も……む、り……た……助け……っ」

なにもかもが、白く弾け飛びそうなその瞬間――藍は見た。

牙を剝く吸血鬼の姿を。

映画やマンガのように、赤く禍々《まがまが》しい目になったりはしない。獣のように野卑《やひ》な顔にもならない。黒田はいつもの美貌を保ったまま、ただ犬歯だけがあり得ないほどに長く尖っていた。

柔らかな首すじの皮膚に、食い込んで……破られる。

「……は……」

身体が浮くような感覚があった。宙に浮き、重力から解放され、自由になる。

身体から出ていく血液。

身体に流れ込む、吸血鬼の体液。

喉に食い込む牙……最奥に穿たれている熱い杭。

うっとりするほど甘美な瞬間のあと——痛覚が襲ってくる。

「あ……う、あぁッ！」

黒田が強く傷口を啜ったのだ。

だがその痛覚ですら、蜜につけたあと砂糖をまぶしたかのように、危険な甘さでコーティングされている。快さと痛さの背中合わせは、単純な快楽を遥《はる》かに上回り、藍を惑乱させる。

「なんという……甘さだ……」

一度口を離した黒田の囁きは、少し震えていた。

「信じられない。おまえはなぜ、こんなに甘い……？　これではもう——手放せなくなってしまう……」

信じられないのは藍も同じだった。

身体中が甘く満たされ、産毛《うぶげ》の一本ですら、性感帯となっている。このままでは気が触れてしまいそうだ。

一向にボルテージを下げない悦楽の中、再び黒田の牙が沈む。何度目かに血を啜られたとき、藍は二度目の射精を迎えた。

「……っ、ひ……ぁ……」

身体がばらばらになりそうな絶頂感の中で、突っ張った足先がヒクヒクと震える。その瞬間、藍の血液にもなにか変化があったらしく、黒田が恍惚《こうこつ》のため息をついた。

牙が皮膚から抜かれる。

傷口が丁寧に舐められ、血まみれの唇に激しく口づけられた。嫌悪感などない。不思議と藍にも自分の血が甘く感じられ、それ以上に黒田の舌が甘い。

「私の、ものだ……」

黒田の動きが頂《いただき》を目指す激しさを見せる。

達したばかりの敏感な奥を攻めたてられ、藍は掠《かす》れた悲鳴を上げた。もう背中に縋りつくことすらできない。息も絶え絶えに揺さぶられ、やがて藍の奥深くをいっぱいに広げていた凶器が爆《は》ぜる。同調するように、藍自身も擬似《ぎじ》的な射精感に襲われて身体を震わせた。

心身ともに限度を超え、快楽のぬるま湯に浸《つ》かったまま、意識が遠のいていく。

このまま眠ってしまったら、どんなに気持ちがよいだろう……そう思いながらも、藍の中でなにかが引っかかっていた。

大切なことを忘れている気がする。

なんだっけ、なんだっけ——必死に思い出そうとするのに、黒田が髪など撫でるものだから、瞼がどんどん重くなっていく。

「——…ぁ」

かろうじて、声を上げる。

危ない。あと二秒遅かったら、完全に眠り込んでしまっただろう。

「げ、原稿っ」

「なんだ？」

がばりとベッドから身を起こし、その途端に目眩《めまい》を起こして再び倒れた。黒田は藍の身体を受け止めながら「なにをしている」と不服声を出す。

「終わってすぐベッドを出ようとするなんて、マナーの悪い奴だ」

「そっ……げほっ、そんなこと言ってる場合じゃありませんっ」

さんざん喘いだせいで声が掠れている。

早く届けなければ——。

印刷所が藍を、もとい原稿を待っている。

なのに黒田はますます深く藍を抱き込んで邪魔をするのだ。

「おとなしくしていろ。立てば貧血を起こすし、腰もつらいぞ。……おまえがあまりに美味だったから、ちょっと手加減をし損ねた」

「放してください。十時までに印刷所に行かなければならないんです」

藍は黒田の腕の中から逃れようと、気怠《けだる》い身体を必死に動かす。

「つくづく呆れた男だな……。ピロートークのないセックスなど、デザートのないディナーみたいなものではないか」

「なにがピロートークですかっ。そ、そもそも僕は献血はOKしたけど、セクハラはOKしてませんッ」

「ほう」

黒田が片眉を上げ、再び藍の身体を自分の下に組み敷く。まだ緑を少し残した瞳が、すぐ近くで藍を見下ろし、うっすら微笑む。

「セクハラ、ね。二度も達しておいてそういうことを言うのか？」

「あ、あれは変なモノを飲ませるからっ」

「私の血は身体を熱くはするが、意識には作用しない。心の底から嫌悪感があるならもっと抵抗できたはずだがな」

「あんなエロテクを駆使《くし》されたら、誰だって身体から力が抜けるに決まってますよ！」

「エロテク……」

色気のかけらもないセリフにあっけにとられている黒田を押しのけ、藍は大きなベッドを這《は》うように進んだ。

「おい、こら、無理をするなと言っているだろうが」

シーツを身体に巻きつけたまま、やっとのことで床に立ち上がったものの、途端にへなへなと腰が砕けてしまう。その拍子《ひょうし》に、黒田が藍の中に放ったものがとろりと流れ出て、背すじを震えが走った。

悔しいことに、黒田の言うとおり立ち上がることすら難しい。それでも藍は、上擦る声で「原稿〜」とうめきながら、床を四つん這いに進む。だがいくらも行かないうちに、力尽きて沈んだ。

自分の情けなさに、思わず名作マンガのセリフを呟く。

「……佐武《さぶ》やん、人間なんて小せえもんだねェ…」

「誰だ、サブやんとは。ほら、藍、しっかりしなさい」

ガウンを羽織った黒田が追ってきた。ふわりと身体が持ち上がり、慌てて黒田の首にしがみつく。いわゆるお姫様抱っこをされてしまったのだ。ふぅ、とこれ見よがしなため息をついて、黒田は藍を抱いたままベッドに腰掛ける。

「ひとつ聞くがな、藍。おまえにとって私は、原稿より価値のないものなのか？」

「……。そんなことはないです。卵は大切だけど、それを生む鶏はもっと大事だし」

「私を雌鶏《めんどり》だというのか」

「雌鶏じゃなくて、吸血鬼でしょ先生は。まあ、べつに雌鶏でも雄鶏《おんどり》でも烏骨鶏《うこっけい》でも名古屋《なごや》コーチンでもいいんですよ、僕は。原稿さえ描いてくれれば」

「だから、描いただろう」

「描いたら、ちゃんと届けなければ意味がないんです！　僕はそのために、貴重な血液を提供したんですから！」

「わかったわかった。そんな潤《うる》んだ瞳で睨むな……まったく、おまえの編集魂《だましい》には恐れ入る。ならば約束してくれ。これからも、私の仕事のためにおまえの血を提供してくれるな？」

「……もしかして、そのたびに……その、こういう？」

「むろんだ」

吸血鬼の首に両腕を巻きつけたまま、藍は眉間《みけん》に皺《しわ》を寄せた。まさしく身体を張っての原稿取り。あるいは人身御供《ひとみごくう》と言うべきか。

しかし、それでも——。

「わかりました」

藍は決心する。

原稿のためならば我慢しようではないか。……実際のところ、さして我慢という我慢はしていないような気が……確かにこの展開に驚きはしたが、では産毛も逆立つほどいやだったかというとそんなことも……というか、むしろ気持ちよか——いやいやいや、今はそんなことを考えている場合ではない。

「約束しますから、原稿を届けに行かせてください」

「おまえが行くのは無理だ」

「じゃあバイク便の手配してください！　とにかく、時間がないんですッ」

「ぐ……わかったから、首を絞めるな。信頼できる者に届けさせる」

「信頼できる者？」

ああ、と首をさすりながら頷いて、黒田が片手を伸ばし、ベッドサイドのベルをチリリンと鳴らした。

Ψ

電話が鳴っている。

けたたましい音に、落合は顔をしかめた。朝の九時半。編集部的にはまだ早い時間だが、無人というわけではない。

「はい、『ジージンタ』編集部……ああ、コッパン印刷さん、お世話様です」

電話を取ったのは桂木《かつらぎ》だった。ちょうど今朝方、危ない線だった作家の原稿を取ることに成功し、編集部に戻ってきたところである。

目の下パックをしながらコーヒーを飲んでいることは、電話の相手にはわからない。

「え……『ゴスちゅる』の原稿が？　それは変ですね……野迫川から連絡は……繋《つな》がらない？

おかしいなあ、少々お待ちください。……編集長」

なんだ、と落ちくぼんだ目を向ける。落合はスランプ気味の大家との長電話につきあわされ、終電を逃し、泊まったクチである。

「『ゴスちゅる』なんですけど、印刷所の受付に原稿だけ届いたそうなんです」

「原稿だけ……？　野迫川はどうした」

「連絡が取れないとか。もう印刷かからないとやばいんですけど、確認どうします？」

「……仕方ないなあ、とりあえず、原稿のコピーをファックスしてもらおう。問題なければそのままゴーだ。それにしても野迫川のやつ、どうしちゃったんだ？　近くで行き倒れてたりしないだろうな？」

「行き倒れはいないけど、受付の前に黒猫が一匹いたらしいですよ。係の人が原稿を持っていくのを見届けると、ニャーと鳴いて行ってしまったって」

「なんだそりゃ。あいつ、猫になっちまったのか」

「相手は黒田先生ですから、あり得るかも……あ、もしもし、お待たせしました。とりあえず、原稿をコピーしてもらって……」

電話を続ける桂木を見ながら、落合は朝食代わりのアンパンを齧《かじ》って考える。

責任感の人一倍ある野迫川が、原稿を放っていくなど考えられない。よっぽどの緊急事態に巻き込まれたのだろうか？

まもなく届いたファックスは間違いなく黒田瑞祥の原稿だった。内容も素晴らしい出来であり、すぐに印刷してもらう手はずとなる。

「野迫川、どうしたんでしょうねえ」

目元パックを押さえながら、桂木の声も心配げだった。

「事情はどうあれ、あの先生からこれだけの原稿を期日内に取ってきたんだ。やっぱりあいつはただ者じゃないなあ」

「ええ、確かに」

落合は送られてきたファックスを眺めながら、そういえば黒田が黒猫を飼っていたことを思い出す。まさかその猫が……いやいや、あり得ない。

某宅配便業者のキャラクターじゃあるまいし、猫は原稿を運んだりはしないものだ。

END

吸血鬼には銀のナイフを

吸血鬼は聖水では殺せない。
十字架でも殺せない。
ましてにんにくなど、ほとんど意味がない。
吸血鬼を消滅させうるもの――それは唯一、愛だけだ。

『バンパイアハンター融《ユウ》』薔薇原《ばらはら》トヲル　第一巻より

マンガ編集にとって必要な資質をひとつだけ挙げよ——そんな質問を受けたとしたら、野迫川《のせがわ》藍《あい》は「執念」と答える。

もちろん他にも必要なものはたくさんある。たとえば体力。そして忍耐力。

社会人として身につけておくべき常識力もあったほうがいい。だが相手には常識が通用しないケースも多いので、その点は覚悟が必要だ。「おまえは世界の王様かっ」と襟首《えりくび》を摑《つか》んで揺さぶりたくなるような傲慢《ごうまん》作家もいれば、「どうしてそこまで自分を卑下《ひげ》するの……」とこっちまでげんなりしてくる気弱くんもいる。締切を守らない作家など珍しくもないし、そのぶんこっちが余裕を見てスケジュールを提案すれば「そんなに早く入稿ってこと、ないでしょ」などと言い出す。下手《へた》をしたら「俺を信用していないのか」と拗《す》ねる者もいる。

だがそこで編集が怒ってはいけない。

そんなこたあ、自分が締切を守ってから言え、というセリフは、喉《のど》まで上がったところで呑《の》み込まなければならない。

彼らは特別なのだ。

神様はマンガ家たちに常識力を与えなかった代わりに、才能を与えた。当然ながら、両方を持っている立派な先生方もいるが、比率は……少ない気がする。たぶんオオサンショウウオより少ない。統計資料がないので、あくまで藍の体感だが。

そんなマンガ家たちとともに、素晴らしいマンガを創り出すのが編集者の仕事だ。

もっとくだけた言い方をすれば、たとえ世界の果てまでだろうと作家を追いかけ、原稿をもぎ取ってくるのが編集の使命である。決して消えない炎のごとき執念がなければできない。諦《あきら》めのいいタイプには向かない職種といえる。

そういう意味で、マンガ編集者は藍の天職だ。

藍はマンガを愛しているし、マンガとそれに付随する事象に対しては諦めが悪く、執念深い。いいかげんしつこいぞと相手が辟易《へきえき》するほどに、執念深い。

「先生、お願いします」

「いやだ」

「新春号の目玉企画にしようと思っているんです」

「いやだ」

「きっと読者も喜んでくれます」

「読者のことなど知るものか」

「編集長も大喜びです」

「もっと知るものか」

「そこをなんとか、今回限り」

「いやだと何度言ったらわかる。いいかげんしつこいぞ」

ほら、言われてしまった。

きりりとした眉を寄せて睨《にら》みつけるのは黒田瑞祥《くろだずいしょう》、藍が担当しているマンガ家である。

代表作『ゴスロリ吸血少女Ψちゅるちゅる』は相変わらず大人気、この秋から始まった深夜枠アニメのおかげで、新規読者も増えている。主な読者層は若い男性だが、最近は女性の愛読者も増えてきている。

「薔薇原先生のほうは、ぜひお会いしたいと仰《おっしゃ》っているんです。なんでも『ゴスちゅる』の大ファンだとかで」

「バラハラだかバラ肉だか知らないが、そんなおかしな名前のマンガ家と対談などごめんだ」

「ほら、これ。薔薇原先生は、吸血鬼ハンターのマンガを描いてるんです」

藍は一冊のコミックスを手に、辛抱強く説得を続ける。

「それがどうした」

「『バンパイアハンター融』……聞いたことありませんか？」

ふん、と鼻から息を吐き、黒田は返事もしない。

優雅で怠惰《たいだ》な吸血鬼は、向かい合わせのソファに腰掛けて脚を組んでいる。本日のファッションは黒のハイネックに、グレーのトラウザーズ、蜥蜴《とかげ》革の靴も黒だ。

「うちの『月刊マシンガン』の看板連載なんです。吸血鬼を退治する力を持っている青年が主人公で、これがすごい美形なんですよ。薔薇原先生はもともと耽美《たんび》っぽい絵柄だからか、腐女子に大人気になっていて」

「……ふじょし？」

「ある特殊な嗜好《しこう》を持つ女性のオタクなんですが……詳しく説明しますか？」

いらん、と黒田が素っ気《そけ》ない声を出した。手にしているアンティークのカップには、黒猫であり、アシスタントでもあるケイトに入れさせたブランデー入りの紅茶が入っている。

「とにかく私は誰が相手だろうと対談などしない」

「いい企画だと思うんですけど。二大バンパイア作家、夢の対談」

「他をあたれ」

冷たい返事に藍は心中でため息をついた。

黒田が我儘《わがまま》で頑固で傍若無人なのは今に始まったことではない。この男の性格からして、他のマンガ家と対談など引き受けるはずはないと予測していた。

それでも諦めるわけにはいかない。

こういった企画モノはタイミングが命である。『ゴスロリ吸血少女Ψちゅるちゅる』への注目が集まっている今、藍は対談をなんとしても実現させたかった。うまくすれば『バンパイアハンター融』の読者を取り込むこともできる。

しかし黒田にその点を強調しても無駄だろう。食うためにマンガを描いているわけではないので、商売っ気は一切ない男である。

……となれば、あの手しかないのか。

できる限り切りたくないカードだったが、この際仕方ない。

「……プラス五十CCでどうですか」

チラ、と黒田が上目遣《うわめづか》いで藍を見る。

三秒ほど置いて、図々しくも「二百だな」と返してきた。

「無理です。貧血を起こします。いいとこ百ですよ」

「マンガ編集者にあるまじき健康体のくせになにを言ってる。二百くらい楽勝だろう」

「三日前に二百取られたばかりですよ？　日本赤十字の献血だって、四週は間を置かなきゃいけないって決まってるのに！」

思わず声を張り上げた藍に、「わかったわかった」と黒田が紅茶のカップを置く。

「特別に百で手を打とう」

なにが特別なのだかよくわからないし、結局は増えている。釈然としない藍を尻目に黒田はさっさと立ち上がり、藍を促《うなが》して寝室の扉を開ける。

藍はため息を押し殺して黒田のあとに続いた。

まただ。また血を吸われる羽目《はめ》になった。

黒田の創作に貢献するため、新鮮な血液を提供する——それはいい。いや、よくはないが仕方ない。黒田が面白《おもしろ》いマンガを描くためならば、生活に支障のない程度の献血は許容範囲だ。藍にとって、黒田のマンガはそれだけの価値がある。

むしろ問題は、血液の摂取方法なのだ。

黒田に言わせると、性的な興奮を得たとき、人間の血液は甘く変化するとかで……黒田は藍の血を吸う際、いろいろと不埒《ふらち》な行為をするのである。

ぶっちゃけ、藍は性体験に乏《とぼ》しかった。

女の子ともしていないあれやこれやを、男の、しかも吸血鬼としてしまっているわけである。

これはゆゆしき問題なのではないか。

しかも黒田にとってその行為は単に「血を甘くする」という意味しかない。

気持ちの伴《ともな》わない性行為は、藍の道徳観念的によろしくない。よろしくないはずなのに、その場になると黒田の手練手管《てれんてくだ》に翻弄《ほんろう》され、抵抗もできない自分が悔しくてならないのだ。

「ほら、早く来い」

扉の前でぐるぐる考えていた藍を、黒田が呼ぶ。

「行きますよ。行きますけど……対談は写真もありでお願いします」

藍は最後のひと踏ん張りを見せる。

人柱《ひとばしら》になる以上、徹底的に交渉するべきだ。対談企画はやはりマンガ家の顔出しが欲しい。どんな人がこのマンガを描いているのか、読者は興味を持っている。もっとも中には、読者の夢を壊しかねない場合もあるが、黒田ならばまったく問題ない。対談相手の薔薇原も、なかなかの男前だと聞いている。

「残念だが吸血鬼は写真に写らない」

「嘘つき。先生が締切明けで寝ているとこを写メしたら、ちゃんと写りました」

「……おまえ、そういうことをしているのか」

呆《あき》れた口調などスルーして「アップは撮りませんから」と続ける。

「ロングで、いまいちはっきりしない横顔だけでもいいんです。こっちは血を抜かれるんですよ。それくらい譲歩してくださってもいいでしょう」

ため息ひとつのあと、好きにしろと黒田が言い捨て、視線で藍を誘った。

ベッドの真ん中では、黒猫のケイトが丸くなっている。主人が指をぱちんと鳴らすと顔を上げ、いくらか不服げにミャアと鳴いて床へ降りた。長い尾を揺らしながら寝室から出ていくケイトを見送り、藍は覚悟を決めてベッドに近づく。

背広の上着を脱いでネクタイに指をかけた。

「……言っておきますけど、今回は血液提供だけですからね。セクハラはなしです」

「私はセクハラなどしたことはないぞ。あれは血を甘くするための……」

「講釈はいいですから、とにかく僕の下半身には触れないでください」

きっぱりと宣言すると、ベッドに腰掛けた黒田は口元をわずかににやつかせ、「わかった」と藍を見上げる。

「約束しよう。下半身には触れない」

なんだかいやな予感がした。

珍しく素直だ。嫌味のひとつふたつはぶつけられると思ったのに。

不吉な予感はまさしく的中したのだが――しまったと思ったときには、とうに逃げられない状態に陥《おちい》っていた藍だった。

Ψ

「ひ……卑怯者」

「なんとでも」

「こんなの、ずる……あっ……」

「約束は破っていない」

耳元で囁《ささや》かれると、ぞくりと尾てい骨《びこつ》に響く。

藍はこの声に弱い。黒田の声は上等の天鵞絨《ビロード》のようだ。厚みがあり、艶《つや》やかで、うっとりするほどになめらかで――どこか淫靡《いんび》。

シーツの海で泳ぐ……などという使い古された表現が浮かんだ。

泳ぐというよりはむしろ溺《おぼ》れる風情《ふぜい》で、腹這《はらば》いになってシーツを手繰《たぐ》る。シーツの色が濃紺なので、夜の海を彷徨《さまよ》うようだ。

「……まったく……おまえは麻薬のようだな」

意味がわからず、首を横に振る。

「数日触れないだけで、欲しくてたまらなくなる……血だけではなく、おまえのすべてが」

いっそ屍鬼《しき》のように、頭からゴリゴリ食べてしまおうか——そんなふうに言われ、恐ろしさに震える。厄介《やっかい》なのはこの「恐ろしい」と「気持ちいい」にさほど距離がないところだ。

生き血を啜《すす》る吸血鬼は、藍に今までまったく知らなかった快楽を教えた。

牙《きば》から滲《にじ》む吸血鬼の体液は、藍の血管でまるでアルコールのように作用する。甘ったるい食後酒のように、身体をとろかしてしまうのだ。

黒田は確かに、約束を守っていた。

つまり藍の下半身には触れていない。厳密には、押さえつける際に互いの脚が接触することはあったが、少なくとも手で触ることはなかった。

その代わり、上半身は触りまくりだ。

果物の皮でも剝《む》くように、藍のワイシャツと肌着を脱がせた。肩から胸、そして腹に手のひらを滑らせ、甲で撫《な》で、指先でくすぐり、口づけた。

舌を這わせ、ときに吸いつき、吐息を吹きかけた。

ぷつんと立ち上がった乳首は特に念入りに苛《いじ》められた。藍はなぜだか右側が弱い。前歯で引っ搔《か》くように刺激されると、必死に閉じていた唇が解けてしまう。

服をつけたままだろうと、股間の隆起は明白だった。いきり立ったものがウールの生地《きじ》を持ち上げている。自分で下半身はナシなどと言っておいてこの有り様だ。情けなく、かつ恥ずかしくて藍は身を捩《よじ》り、そこを隠そうとした。

途端にくるりとひっくり返された。背中から黒田が覆《おお》い被《かぶ》さってくる。脇腹をゆっくり撫で上げられて、「あ、あ」と声が漏れてしまった。

「……そういえば」

黒田の声が肩口で聞こえる。

「まだこちら側はあまり探求していなかったな?」

「え?……あ……ッ」

肩胛骨《けんこうこつ》に沿って、べろりと広い範囲を舐《な》められた。

かくかくっ、と身体が大きく震えて自分でも驚く。見えないからだろうか、背中の皮膚は想像以上に敏感だった。

「迂闊《うかつ》だったな……こちらもずいぶん感度がいい」

「や……く、くすぐった……」

「少し我慢しろ……ほら、動くな」

うなじにちろちろと舌を這わせられる。藍の身じろぎは黒田の片手ひとつで易々と封じ込められ、舌先はねっとりと、あるいはつつくように、変化をつけて移動していく。くすぐったさが悦楽に変わるまで、さして時間はかからなかった。

「ひ……っ」

浮き出た肩胛骨を軽く噛《か》まれた瞬間、短く叫ぶ。

まったく新しい類《たぐい》の快感に震え、自覚のないままに腰がむずむずと動いてしまう。

背中の中心を、脊柱《せきちゅう》伝いに指先で辿《たど》られた。腰に近くなると藍の呼吸は乱れ、指がシーツを引っ掻く。もう一度、同じラインを今度は舌でなぞられる。声はますますせっぱ詰まったものとなり、肘《ひじ》で身体を起こして逃げようとした。

だが、簡単に引き戻されてしまう。

「い、いや……あっ……」

背後から両肩を押さえつけてシーツに縫い止められ、背中ばかりを延々と愛撫される。たかが背中と思っていた藍は、自分の認識を改めなければならなかった。背骨を覆う、少し凹《へこ》んだ身体の中心線は間違いなく藍の性感帯のひとつだったのだ。

「せ……先せ……んんっ」

はち切れそうに膨《ふく》らんだ箇所は無視され続け、藍はとうとう堪《こら》えきれずに「触ってください」と懇願した。

「どこを？　ああ……可哀想に、痛いほどだな？　だがここは下半身だろう？　約束を破るわけにはいかない」

「い……意地が悪い……ッ」

「真面目《まじめ》と言ってくれ」

性格の悪い吸血鬼は、惑乱する藍を愉《たの》しんでいる。

悔しいが、どうしようもない。腰を浮かせて四つん這いになり、藍は震える手で黒田の右手を探し当てた。けれど逆にギュッと掴まれて、自《みずか》らの屹立《きつりつ》へと導かれてしまう。

「な……」

「私は触れないんだから、自分でしなさい」

「い、いやだ、そんな――」

「できるだろう？　したことがないとは言わせない」

藍にしても、この歳《とし》になって自慰経験がないなどと言うつもりはない。だが、あれはひとりでひっそりするものであって、人前……もとい吸血鬼の眼前でするものではないだろう。

「ほら」

ベルトが緩《ゆる》められ、ジッ、とファスナーの下げられる音がした。ベルトとファスナーは下半身のうちに入らないのか、などとツッコミを入れる余裕もない。

狂おしい熱に後押しされて、藍は自らの股間を探った。

少し衣類をずらしただけで、猛《たけ》ったものが飛び出してくる。束《つか》の間《ま》、躊躇《ためら》いを見せた手も、溢《あふ》れかえりそうな欲望に勝てない。

握り込むと、怖いくらい熱くなっていた。

左手一本で四つん這いの身体を支え、藍は自慰を始める。どうしても零《こぼ》れてしまう濡《ぬ》れた音に耳を塞《ふさ》ぎたい気持ちになったが、腕は二本しかない。どうしようもない。

「――ずいぶん濡れているようだな。いい音がしている」

胸に回した手で乳首を摘《つま》みながら、黒田が囁く。藍は顔を火照《ほて》らせて首を打ち振った。それでも手が止まることはなく、呼吸はいっそう差し迫ったものになりつつある。

自身で行う愛撫は、加減のしようもなかった。

急な坂を転がり落ちるように、悦楽に溺れた身体が墜ちていく。達するときには必ず教えろと、黒田にしつこく念を押されていた。ああ、もうだめだ、もう言わなくちゃと思う藍だが、あまりに激しい波にもみくちゃにされて、うまく言葉がでない。

「あっ……ああ、あ……い、いっ……ク……」

それでも意図は伝わったらしい。

藍が達するその瞬間、黒田の牙が首すじにめり込む。

目の前が一瞬にして真っ赤になり、次には真っ白になり――自分の目が開いているのか閉じているのかわからなくなる。

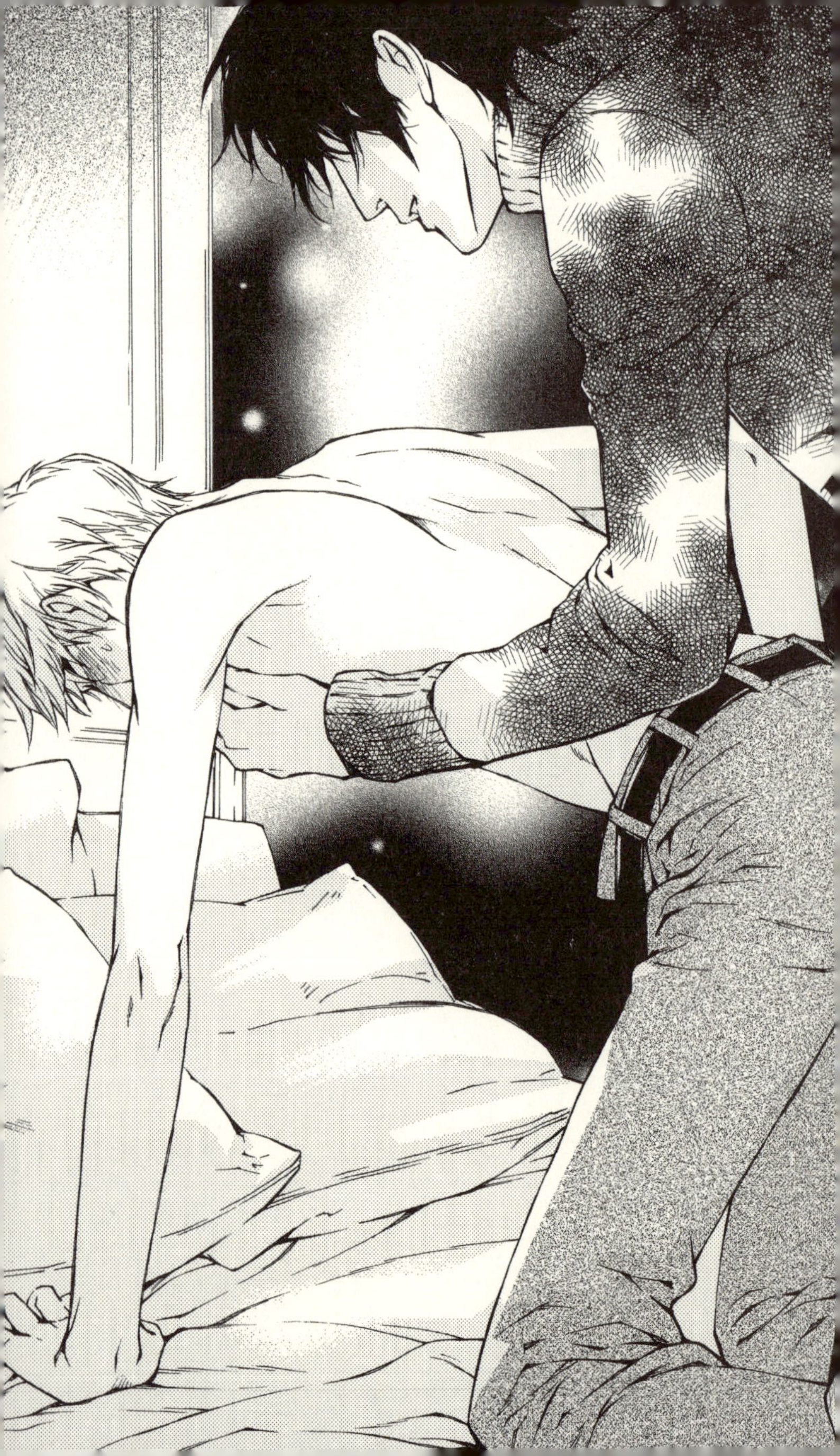

ジョイントが外れる。ばらばらに解体される気分だ。

腕も、脚も、内臓も——ほら、心臓に翼が生えて飛んでいく。

真っ赤な血をまき散らしながらふわふわと……やっぱり宙に浮いている黒田に近づいていく。

そしてまるごと呑み込まれる。吸血鬼に、すべて持っていかれる。

黒田との交歓はいつもそんな感じがする。

「——起き上がれるか？」

献血終了後、黒田に聞かれて「無理……」と力なく答える。

骨が溶けてしまったかのように力が入らない。血を失ったからなのか、強い快感を伴う射精のせいなのか——おそらくは両方だ。

「……ほんとに百CCだったんでしょうね……なんか、もっと取られたような……」

「なにを言う。私は正直な吸血鬼だぞ」

藍とは反対に、気力に漲《みなぎ》った黒田が答えた。藍の血を得たあとのこの男は、実に元気潑剌《はつらつ》だ。

肌は内側から輝き、今なら化粧品のCMにだって出られるだろう。

「まったくもって、おまえの血は美味だ。飲み下せば、もはや動いてはいないはずの私の心臓すら躍《おど》り出しそうに思える。おまえの血に比べれば、冷凍血液など泥水に等しい」

「……そんなの誉《ほ》められても、あんま嬉しくないです……。それより、こんなに吸われたら僕、お仲間になっちゃいませんか……？」

「心配するな。ちゃんと加減してある。私と同族になったら、もうその甘い血も飲めなくなるのだからな。細心の注意を払っているぞ。……ほら、水を飲め」

ベッドに腰掛けている黒田が、水を手渡してくれた。藍は毛布の中でもぞもぞ動き、冷たいグラスを受け取る。

喉を鳴らして飲んでいると、廊下からなにやら物音が聞こえる。

ダダダダダ、ダー、と走る音だ。寝室の扉の前で止まり、遠慮がちにノックが聞こえた。

「瑞祥様～、も、もうそろそろよろしいでしょうか～」

ケイトだ。黒田がちらりと藍を見る。

「だ、だめですよっ」

確かにコトはすんだが、まだ半裸でベッドの中なのだ、ケイトにこんな格好を見せるわけにはいかない。なのに黒田はにやりと笑って、

「入っていいぞ」

と許可を出した。まったく、ろくなものではない。藍は慌《あわ》てて毛布を身体に巻きつける。

「お取り込み中のところすみません。あのう、あのう、これなんですけど……！」

ケイトが手にしていたのは、今夜藍が持参した薔薇原のコミックスである。

「あれ？　『バンパイアハンター融』ですね、それ」

首までしっかり毛布に包まれて藍が聞く。あちこちキスマークだらけなのだ。

「はいぃ」

「ケイトさん読んだんだ？　面白かったでしょう？」

「よ、読みました」

基本的に黒田はほとんど他人の作品を読まない。自作の掲載誌くらいはパラパラ捲《めく》っているようだが、それ以上の興味はないらしい。『自分がマンガを描くこと』は好きだし、それなりのこだわりはあるのだが『他人がどうしているか』はどうでもいいタイプなのだ。まして藍のようなマニアが愛する個性派の作品や、あるいは古典的名作マンガに関しての知識はほとんどない。

一方で、ケイトはかなりマンガを読む。

というか、読むように藍がし向けた。

黒田瑞祥先生のアシスタントとして、これくらいは読んでおくべきでしょう——などと言いつつ、自分のセレクトでマンガ本を持ち込んだのだ。なかなか感受性の豊かなタイプだったらしく、見事にハマってくれた。

最初に気に入ったのは、やはり猫が登場するマンガだった。最近は締切が近づいて作業がきつくなってくると、トーンカッターを握りつつ突然「ピップ・パップ・ギー！」と叫んだり、「たつけてー　しめきりこあいー」などと口走るようにもなった。

「ケイト？　おまえ尻尾《しっぽ》がすごいことになっているぞ？」

黒田の言葉どおり、ケイトの尻尾がぶわりと膨らんでいる。

「だってだって、このマンガまずいですよう」

「そんなにつまらないのか」

「いえ面白いんですけど」

「……面白いのか?」

「あっ。ええとええと、つまらなくはないんですけど、でもまずいです〜」

黒田は他人の作品に興味を示さないくせに、ケイトや藍が自分以外のマンガを誉めるのが大嫌いなのだ。貸してみろとケイトからコミックスを奪い、パラパラと捲る。

「……ふん、まあ下手クソとは言わないが、うまくもない。これが主人公か。女みたいな男だ」

「問題は絵じゃなくて、中身です瑞祥様。この作者、吸血鬼について詳しすぎます」

「それは私の作品を参考にしたからだろう。名作とはいつでも、他作品に大きな影響を与えるものだ」

「でも瑞祥様が描いていないことまで……ほらここ、見てくだニャい」

藍も身体を起こして、ケイトが示した頁《ページ》を見た。

風に髪を靡《なび》かせている優男《やさおとこ》――バンパイアハンターの融が、いかつい身体つきの男に向かって喋《しゃべ》っているシーンだ。

――吸血鬼たちは不死とされているが、では生きているのかというとそうではない。かといって死んでいるとも言えない。言ってみれば、死の一歩手前で永遠に佇《たたず》んでいる者たちだ。

――奴らはなぜ人間を襲う？　血を吸わないと死ぬわけではないのだろう？

聞き手の男は刑事で、このふたりがコンビを組み、人間を襲う吸血鬼を退治するという筋書きである。このマンガに出てくる吸血鬼に、チュルのような共存型はほとんどいない。

――死にはしない。というより、死ねない……死ねないまま、ただ渇く。終わりのない渇き、地獄のような苦しみだ。人間の血液だけが、奴らの渇きを癒《いや》す。

――だがあんたはバンパイアハンターだろ？　なら連中を殺す方法を知っているはずだ。

――知っているとも。吸血鬼は聖水では殺せない。十字架でも殺せない。ましてにんにくなど、ほとんど意味がない。吸血鬼を消滅させうるもの……それは唯一、愛だけだ。

ひく、と黒田のこめかみが引きつる。思い当たる節があったのだろう。

「他にも何か所かありました。動物の寿命を延ばして使い魔にするとか、ときどき献血用の血液を失敬してるのがいるとか」

「そのへんは私が『ゴスちゅる』で描いた」

「えーと、じゃあ性交渉で人間の血を甘くするとか」

ケイトは他意なく言っているのだが、藍の顔はどうしても熱くなってしまう。恥ずかしがっている自分が恥ずかしくて、あえて固い声を出して尋ねた。

「吸血鬼について詳しすぎると、なにか問題があるんですか？」

「ありますよう、野迫川さん。よく考えてみてくだニャい」

「……あっ、まさか……薔薇原先生も吸血鬼だとか……！」

藍は日本の吸血鬼人口を知らないのだが、黒田ひとりきりということはないだろう。

人間の血液を必要とする以上、やはり吸血鬼も人口密度の高い都市部に集中すると考えるのが妥当《だとう》だ。だからといって、マンガ家の中に何人もいなくてもいいような気はするが……やはり夜型生活が適しているのだろうか。

「吸血鬼ならまだしも、もしこのマンガのタイトルどおりだったら……」

「ダムピール、ということか」

黒田が低く呟《つぶや》く。

「あ、それ知ってます。吸血鬼と人間の女性との間に生まれたハーフのことで、吸血鬼を退治する力を持つと言われているんですよね。『バンパイアハンター融』の中では使われてない言葉ですけど、小説で有名なのがあります。……ん？　ということは、薔薇原先生がそのダムピールじゃないかということを心配してるんですか？」

ケイトが長すぎる前髪を揺らしながら、カクカクと頷《うなず》いた。

「そんなあ。ダムピールなんて、想像上の存在ですよ」

笑い飛ばそうとした藍を黒田が振り返って、呆れたように見る。

「おまえもつくづく学習しない男だな……想像上の存在だったはずの吸血鬼だって、こうして実在しているだろうが」

「そりゃ……けど、ダムピールは吸血鬼ほどメジャーじゃないし」

「メジャーだのマイナーだの、そういう問題ではない。数は少ないが、ダムピールはいる」

「ああ、どうしよう〜。野迫川さん言ってましたよね、先方は乗り気だと」

「ええ」

乗り気どころか、実は対談の企画そのものの発案者が薔薇原なのだ。

「向こうも瑞祥様の正体に気がついてて、なにか企《たくら》んでいるのでは……。やっぱりこの対談、やめたほうがいいですよう」

「そんな、だめですよ今さら。しっかり献血させられたんですから、僕」

しかも、あんな意地悪をされ、さんざん喘《あえ》がされたのだ。やっぱりナシ、は認められない。

ケイトは不安げに尻尾を揺らしながら「でもーでもー」と繰り返している。

「ダムピールが銀のナイフを持っていたらどうするんですー」

「えっ。それってもしかして、吸血鬼を融《と》かす銀のナイフですか？」

薔薇原のマンガでは、主人公がバラのレリーフを施《ほどこ》した銀ナイフで吸血鬼を刺し、瞬《また》く間に融解させてしまう。その瞬間には必ずバラの花が散り乱れ、『バラとともに逝け』という決め台詞《ぜりふ》があるのだ。

「融けたりはしない。ただ、灰と化して消滅する」

黒田が答えた。

「吸血鬼を消滅させるには、いくつかの方法がある——とされている。私も実験したわけではないし、消滅した吸血鬼からは話の聞きようもないので、どれが伝承でどれが真実なのかは曖昧《あいまい》だがな。一般的には、身体のすべてが灰になるまで燃やされると再生は不可能と言われている。ただし、その灰を一粒でも吸い込んだ者は自分が吸血鬼になるだとか、土地に念が残って三百年は祟《たた》るだとか、いろいろオマケがついている」

黒田は立ち上がると、さきほど自分が剝《は》いだ藍のシャツを拾い、軽く皺《しわ》を伸ばして手渡してくれた。藍は手早くそれを纏《まと》い、スラックスの前は毛布の中でごそごそと整えた。

「もうひとつの方法が銀のナイフだが、銀ならばなんでもいいわけではない。無垢《むく》な修道僧の手によって作られ、二十年以上、教会で祈りが捧げられた特別なナイフだ。さらにそのナイフを持つ人間にも条件がある」

「条件?」

「ここから先は企業秘密だ」

「いつから吸血鬼は企業になったんです。……で、もし薔薇原先生がダムピールだったら、黒田先生は銀のナイフでグサリとやられちゃうと?」

ひぃぃ、とケイトが叫び、耳がへたりと折れた。

「そんなの困りますう。瑞祥様が消えたら使い魔の私も死ぬんです。まだ綿《わた》の国星《くにぼし》には行きたくありません~」

「落ち着けケイト。私は人間を殺しもせず、ちょっとばかりの血をいただきながら、エンタテインメントを与えて貢献している吸血鬼だぞ。私を退治する理由などないではないか」

「あ、退治しなくてもいいわけですか」

藍が聞くと、黒田はあっさり頷いた。

「べつに構わない。そもそも、ダムピールが一番活躍したのは中世の頃だったらしい。当時の吸血鬼は派手に食い散らかしていたからな……人間たちが、これはたまらんとダムピールに退治を依頼したわけだ。特別な力を持つ吸血鬼と戦うのは命がけだ。依頼と報酬がなければ連中だって動かない」

「ダムピールも不死なんですか?」

「いいや。寿命は人間と変わらない」

なるほど、ならばいちいち吸血鬼と戦っていては危険すぎる。害がなければ見て見ぬふりになるのも納得できた。

「……とにかく、まずは確認だな。そのバラバラとやらと、一度は顔を合わせておかねばなるまい。吸血鬼ならば縄張りの相談が必要だし、ダムピールならば私たちに下手な手出しをしないよう牽制《けんせい》しておく必要がある」

「確認って、どうやって? まさか面と向かって『あなたはダムピールですか』って聞くわけにもいきませんよね……」

藍の疑問に黒田は「問題ない」とつまらなそうに答えた。

「見ればわかることだ。吸血鬼を見破るのはダムピールの特性だが、こっちもダムピールはひと目で判別できる」

少しは安心したのか、ケイトは尻尾のサイズを戻しながら「……平和的に話し合ってくださいね？」と懇願の目つきで主人を見る。

「私は平和主義の吸血鬼だ」

「でも瑞祥様、口が悪いから……。喧嘩《けんか》しちゃだめですよ？」

「子供でもあるまいし、喧嘩などするものか」

そう言い切った黒田を見上げ、ケイトは小さく「ホントかニャー」と呟く。

藍も口の中で「どうだかニャー」と真似《まね》をし、黒田に気づかれてじろりと睨まれた。

「とりあえず先生も、『バンパイアハンター融』を読んでおいてくださいね。すごく面白……えー、もちろん『ゴスちゅる』ほどではないですが、それなりに面白いので」

「不本意だが、読んでおく」

「対談、よろしくお願いします。日取りは追ってご連絡します」

「ああ」

「ドタキャンとか、なしですよ」

「そんなことはしない」

「どうだかなあ。以前、雑誌のインタビュー依頼を受けておいて、突然すっぽかしたのはちゃんと聞いてるんです。いいですか、吸血鬼に急病がないのは知ってますからね。親戚の伯父《おじ》さんが危篤《きとく》っていうのも通用しませんよ?」

「わかったわかった。しつこい奴だな」

黒田にそう言われて、藍は内心で当然だと胸を張っていた。

なにしろ世界で一番しつこく、執念深い編集者を目指しているのだ。吸血鬼だろうが、ダムピールだろうが、いったんもめんだろうがドンと来いである。

……ただし「原稿を電車に置き忘れる妖怪」だとか「印刷所の担当者にものすごく嫌われる妖怪」などがいたら、怖さのあまり泣いてしまうかもしれない。

Ψ

「黒田先生、あなたのマンガには足りないものがひとつあります」

微笑《ほほえ》みながら薔薇原が言う。

正しく表現するならば、薄笑いと言うべきか。

「ほう。足りないもの、ね。べつにきみからご教示いただく必要はまったくないんだが、言いたくてたまらなさそうだから、聞いてやってもいい」

心にもない笑みにおいては、一歩も引けを取らない黒田が返す。

マンガの古典的表現を借りれば、両者の間にバババッと火花が散っているコマになるはずだ。黒田の隣に腰掛けた藍は（やっぱりなあ）と心の中で嘆息《たんそく》していた。

黒田瑞祥と薔薇原トヲルの対談は実現したが――ふたりの相性は悪かった。

いっそ面白いほどに最悪だった。

もっとも相手が誰だろうと、黒田を対談に引っ張り出した時点で、和《なご》やかに終わるはずもない。藍にしてみればある程度は覚悟していた展開である。テープ起こし――今時はテープではなくICレコーダーなのだが――は藍の担当なので、記事そのものはあちこちいじって、なんとか無難にまとめなければならないだろう。

「あなたのマンガには情熱というものがないんです」

「だから？」

「情熱のないマンガは薄っぺらになりがちなのに、『ゴスちゅる』はそうなっていない。それは僕も認めましょう」

「べつにきみに認めてもらわなくても、一向に構わないがね」

ふたりのやりとりを聞いて、薔薇原の担当者である今居《いまい》はすでに泣き出しそうだ。

藍の向かいに座る彼女は、見たところ二十八、九の小綺麗な女性だ。最近になってファッション誌の編集部から異動してきたとのことで、規模の大きな出版社では畑違いの部署からの異動は珍しくない。

「確かに黒田先生は画力もおありになるし、物語を盛り上げる手腕もお持ちだ」

ハイネックのニットに、細身の格子《こうし》模様のトラウザーズを穿《は》いた薔薇原が、テーブルに置かれた『ゴスちゅる』一巻に視線を向ける。

「流行をうまく取り入れた絵柄、痒《かゆ》いところに手が届くプロットに、見せどころを押さえた構成力。商業マンガとしては素晴らしい出来映《できば》えですが……そこに作者の情熱が感じられない。これは僕に言わせればマンガとして致命的なんですよ」

「致命的、ね」

真っ黒なスーツの黒田が長い脚を組み替える。

インのシャツは光沢のあるグレーだ。撫でつけた黒髪は艶やかで、いつ見ても本当にいい男である……見かけだけは。

対談は、東京に新しくできたホテルのジュニアスイートで行われていた。通常はもっとカジュアルな場所で行われるのだが、今回は黒田も薔薇原も人前を嫌うということで、両雑誌の編集長が気を遣って確保した。写真も撮る以上、会社の会議室では絵にならない。

藍は薔薇原トヲル本人を初めて見たのだが、想像よりも若かった。

本名も年齢も非公開とのことだが、藍とそう変わらない二十代半ばから後半ではなかろうか。栗色の癖毛《くせげ》に、瞳も黒よりは茶がかっている。噂《うわさ》どおりの美男子だが、黒田のような迫力はない。それでもオタクの多いこの業界で、これだけ顔立ちが整い、装《よそお》いのセンスのいいマンガ家は珍しいだろう。薔薇原などという、ちょっとアレなペンネームも、彼ならば許せるという気になれる。

「私のマンガに情熱などというものはない」

きっぱりと黒田が言い切った。このセリフは誌面的にカットされる可能性が高い。

「私はプロとして、理性的な仕事を心がけている。情熱などという、暑苦しくも不安定な要素は私の作品に必要ない。……ああ、そうか。きみのパースがときどきやけに危ういのは、情熱のなせる業《わざ》というわけか。バラバラ先生」

「……薔薇原です」

目の下をピクリと引きつらせたものの、薔薇原はまだ笑みを保っていた。

今までのふたりのやりとりから察するに、薔薇原はかなりの負けず嫌いでプライドが高く、しかしマンガへの愛と造詣《ぞうけい》は深い。深いゆえに、批評癖が出てしまうのだ。扱いにくそうなマンガ家だが、同じくマンガを愛する者として、藍はこういうタイプが嫌いではなかった。

「自分の絵がまだまだ拙《つたな》いことは承知しています。ですが、マンガにおいてパースやデッサンの狂いなんて、たいした問題ではないんですよ。マンガは技術で描くものじゃない。心で、情熱で描くんです」

「ははは。バラバラ先生は面白い冗談を言う」

「薔薇原です」

次第に薔薇原から笑顔が消えつつあった。薔薇原の絵は丁寧《ていねい》な上になかなか達者で、人物のデッサンは非常に安定しているが、確かに空間パースがやや心許《こころもと》ない場合がある。おそらく自分でも自覚しているのだろう、だからこそ他人に言われたくないのだ。

そろそろ仲裁《ちゅうさい》に入るべきだろうと、藍は口を開いた。

「えー、つまりマンガに対するスタンスは、おふたりともそれぞれだということですね。しかし、黒田先生の作品にも情熱はあると思います。ただ、見えにくい作風なのでは――」

「情熱などないと言っているだろうが」

人がせっかくフォローしているのに、これだ。

藍は続く言葉を失い、指先でこめかみを軽く揉《も》む。実際、黒田に一切合切《いっさいがっさい》、マンガへの情熱がないわけではない。それは一緒に仕事をしている藍にはわかっている。黒田にないのは、情熱を持っているという自覚のほうなのだ。

「だいたい、情熱だけでマンガが描けるなら、もっと新人が出てきていいはずだと思うがね。同人誌とやらを作っている者たちも、全員プロになれるだろう」

「情熱だけでマンガ家になれるとは言ってません。情熱が大切だという話です」

ふたりは睨み合い、視線を逸《そ》らさない。今居の顔はいよいよ真っ青になっている。

「僕はときどき思うんですけど、黒田先生は本当にマンガがお好きなんですか？」

「嫌いなものをわざわざ職業にはしない」

「嫌いじゃないけど、好きでもないという程度と解釈していいわけですね？」

「どう解釈するかはきみの自由だ」

「へえ……まるで時間があり余っているみたいですねえ」

黒田の眉がわずかに寄せられた。

「僕は短い人生で、なにより好きなマンガを仕事にできてとても幸せだと思ってますけど」

「おめでとう。よかったな」

「でも黒田先生は違うんですね？　どうしてもマンガ家でなければいけない理由はないと？」

「……どう解釈しようときみの自由だが」

ことさらゆっくりした口調で、黒田が宣《のたま》う。

「私にはなぜきみがそうも、他人の仕事を気にするのかが理解できない。私のマンガに情熱があろうとなかろうと、きみにはまったく関係ないと思うがね」

「関係あります。僕は『ゴスちゅる』の愛読者として……」

「では愛読者をやめていただいて結構」

ソファから立ち上がり、黒田が言い切る。薔薇原はさすがに驚いた顔を見せて、担当者である藍に視線を向けた。そんな顔をされても困る。黒田瑞祥とは、こういうマンガ家なのだ。

「きみがただの読者ならば、読まないという選択がある。情熱とやらの足りないマンガが気に入らないならば、読まなければいい。その選択をする者が多ければ、私はいずれこの業界から姿を消す。それだけのことだ。……野迫川くん、ちょっと」

やおら立ち上がり、黒田は隣のベッドルームへと消える。止める暇もない。藍はICレコーダーを一度停止させ、薔薇原と今居に「すみません、失礼します」と会釈《えしゃく》して立ち上がった。

薔薇原は不服げな顔でなにも言わず、今居が「せ、先生、新しいコーヒーを頼みましょうか」とひとり慌てている。

藍がベッドルームに入ると、黒田はむっつりと窓辺に佇んでいた。

カーテンの開いた窓からは東京の夜景が一望できるが、黒田は外ではなく藍を見据えて開口一番「なんなんだ、あれは」とクレームをつける。

「にやつきながら、人の作品の批評などして、失敬千万《せんばん》でないか。なにが情熱だ。なにが心で描くだ。あれのどこが『ゴスちゅる』の愛読者なんだ」

「本当に愛読者なんですよ」

嘘ではない。

藍は今居から何度もそう聞いていたし、今日の薔薇原を見てもそれはわかった。

「ファンであり、同業者でもあるからこそ複雑な感情をお持ちなのではないかと」

「おまえの顔を立てて、私がおとなしくしているのをいいことに、好き勝手言い放題だ」

いや、好き勝手言い放題はあんたも同じ——と思ったがもちろん口にはしない。

「もう少し我慢してくださいませんか。薔薇原先生は、ああ見えてやっぱりオタクなんです。オタクというのはときに、こう……思春期の少年のようなもので、好きという気持ちがねじくれちゃう場合もあるんですよ」

藍には薔薇原の気持ちがわかる気がしていた。

マンガが好きだからマンガ家になる——薔薇原もそうだったはずだ。だが職業にした途端、今まで気にしなくてよかったものを気にしなければならなくなる。売れ行き、流行、出版社の思惑《おもわく》に書店の事情……自分の作品を描くのはもとより、読むときにも純粋な読者の立場に立ちにくくなる。読んでいる作品が面白ければ面白いほど、自分の作品と比べてしまう。ましてやそれが、同じモチーフを扱い、同じ出版社で描いていればなおさらだ。仕事なのだからと割り切るべきところなのだろうが、感受性が強い人間ほど、その割り切りがうまくいかない。

「くだらない。なぜ私がひねくれたオタクマンガ家の、しかもダムピールの気持ちを理解しなきゃならないんだ」

「あ、やっぱりそうでしたか？」

忌々《いまいま》しげに黒田が頷く。薔薇原はダムピールに間違いない——ということは、薔薇原のほうも黒田が吸血鬼であることを、確認したわけである。

「そういえば、時間があり余っているとか仰ってましたね」

「無礼な奴だ。時間がありすぎる苦痛など、なにもわかっちゃいないくせに」

ふと、一番新しい『ジージンタ』に掲載された『ゴスちゅる』のワンシーンが思い浮かぶ。

現在連載は新展開に入っており、ショータとチュルは手に入れた者の願いを叶える【七色水晶】を探す旅に出ている。この旅を通じて弱虫キャラだったショータが成長し、いずれは本当の意味でチュルを守る存在となる……そういう予定だ。

――なあチュル、もし【七色水晶】が見つかったら、なにを願う？

ショータの問いにチュルは答える。あたし、この旅を終わらせたい、と。

――何十年かして……ショータがおじいさんになったとき、あたしはショータよりちょっとだけ先に死にたい。与えられた時間が長すぎるのはつらいの。永遠の時間はすでに時間ではないし、終わりがない旅は旅にならない。なんにでも『終わり』は必要なの。『終わり』は悲しいけれど、なくてはならないものなの……。

「どうした、黙りこくって」

「……やっぱり先生も、チュルのように思うんですか？」

顔を上げて問うと、驚いたように軽く目を見開く。

「なんだ。唐突な奴だな」

「僕、あのシーン……【七色水晶】のところを読んでて胸が痛くなりました。……先生も、もし【七色水晶】があったら、同じことを願うんですか……？」

「あれは架空の設定だ」

「そうですけど……」

「あり得ない仮定でものを考えるのは好きではないが、まあほとんどの吸血鬼は似たようなことを考えるだろう。チュルの言うように、終わりのない旅は旅にもならない。……我々は、たったひとりで映画館の中にいる観客のようなものだ」

黒田の腕が伸びて、藍の手を取った。

「目の前では次々に映画が上映される。スクリーンの中で人々の人生が移ろう」

ごく自然に引き寄せられて、腰を抱かれる。黒田の身体から立ち上る、ローズマリーにも似た香りに包まれると、それだけで軽く酩酊《めいてい》してしまう。

「だが私はただその映画を見ているだけで、決して同じ世界に入れない。同じ時間軸に立つことができない。何本も、何本も、映画は流れていく――」

頬に手が添えられ、上向かされた。

首すじに落ちた柔らかいキスに藍は一瞬うっとりとし、すぐにハタと我に返る。

「せ、先生、なにするんですかこんなとこでっ」

「しっ……。隣に聞こえるぞ。静かにしてろ」

「離してくださ……」

「不愉快な対談に耐えているんだ。ボーナスを払え」

腰をしっかりとホールドされて逃げられない。こんな場所でいきなり献血かよと、藍は無言で抵抗した。顔を寄せてくる黒田をなんとか遠ざけようとするのだが、見た目より頑強な胸板はいくら押しても無駄だった。

「逃げるな――血をよこせとは言わない」

じゃあなにを、と問おうとした唇が塞がれる。

黒田の右手が腰から背中をなぞり上げ、藍の後頭部まで移動した。

「……っ」

頭を支えられ、口づけは深くなる。

どうやら黒田にとって、甘いのは血液だけではないらしい。涙、汗、唾液《だえき》……果ては精液まで、藍の体液ならばどれも嗜好の対象になるという。

藍の存在はまるごと、砂糖菓子みたいなものなのだ。

狭い口の中では舌の逃げ場もない。すぐに絡みつかれて、ねっとりと愛撫される。

舌先を引き出され、ごく軽く噛まれた。

「あ、ン……」

それだけで、背骨にビリッと甘い痺《しび》れが走る。

指先で耳の付け根を刺激され、溢れた唾液が顎《あご》を伝う。それを追いかけて黒田の舌が這い回り、藍の肌を粟立《あわだ》たせた。

身体はすっかり黒田に慣らされてしまった。情けないことに、この淫蕩《いんとう》な吸血鬼の腕の中では、いつだってろくな抵抗すらできない。いいように溶かされ、翻弄され——今だってこんなふうに、唾液を啜られている。

藍の膝《ひざ》から力が抜ける頃、ドアをノックする音が響いた。

「野迫川さん？　どうしました、なにか揉めてるんですか？」

薔薇原の声だった。黒田が小さく舌打ちをして藍を離す。

「落ち着いておやつも摘めないな」

「ひ……人をおやつ扱いしないでください」

上擦《うわず》る声が気恥ずかしく、藍は黒田の身体を押しのけた。

「も、もう戻らないと変に思われます」

「わかっている。約束した以上、ちゃんと対談してやるさ。……おまえは少し待ったほうがいいと思うが」

どうして、と聞く必要はなかった。黒田の視線は藍の股間にあり、藍自身もその部分が成長を遂げてしまっている自覚はある。くそう、誰のせいだよと怒りたい気持ちをぐっと堪え「五分したら行きます」と黒田を先に部屋から出した。

深く呼吸しながら、冷たい扉に耳をつけた。この位置ならばリビング側の声もよく聞こえる。

「野迫川くんはちょっと気分が優《すぐ》れないらしい」と黒田がフォローを入れてくれていた。

「黒田先生が苛めたんじゃないんですか。なんでこんな対談を企画したんだって」

棘《とげ》のある言葉はもちろん薔薇原だ。

「苛める？　私が彼を苛めるわけないだろう」

「先生の扱いにくさは評判ですよ。締切は守らない、減頁《げんページ》は日常茶飯事《さはんじ》、結局落として巻末にお詫《わ》びが載ることも珍しくないってね。プロとして、その姿勢はいかがなものかと」

途中で、せせせせ、先生っ、と今居の焦りまくる声が挟まった。

「ご高説ありがとう。だが私は、締切に振り回されて作品の質が落ちるのが許せなくてね」

「締切を守るのも、仕事のうちだと思いますが」

「作品に妥協するより遅れたほうがましだ。帳尻合わせは編集がする」

このセリフを聞いたときには、一回くらい殴っておきたいと本気で思った藍だった。

「その編集ですがね。野迫川さんは心からマンガを愛する、情熱のある方と聞いていますし、本日お会いして本当だったと僕も確信しました。こう言ってはなんですが、黒田先生とは相性がよろしくないのでは？」

「藍との相性はこの上なくいいぞ。心身ともにな」

ちょっと待て、その言い方は誤解を招く。しかも第三者がいるのに「藍」と呼び捨てているのもよろしくない。

「すでに彼と私とは一心同体のようなものだ。他人に嘴《くちばし》を突っ込まれる筋合いはない」

「……へえ、一心同体ですか」

「そうだとも。今や彼の存在なくして『ゴスちゅる』は成り立たない」

「大変だなあ、野迫川さんも。黒田先生にすっかり喰われちゃってる感じですね」

「合意の上だ。第三者に口出しされる謂《いわ》れはない」

「本当に合意なのかどうか、怪しいと思いますけど」

「嘘だと思うなら、本人に聞けばいいだろう?」

どんどんとげとげしくなっていく会話をなんとかしようと、今居が「あの、あのう」と割って入ろうと試みるのだが、やっぱり無視されてしまう。

ようやく藍の身体が落ち着いて部屋に戻ったときには、ふたりのマンガ家は完全にそっぽを向き合っていた。カメラマンも困惑顔で藍を見る。

どうやら使える写真は、前半に撮ったほんの数枚になりそうだった。

Ψ

「――ある意味、面白い対談ではありました」

眼鏡のブリッジを押し上げて藍は言った。

半分は本気で、半分は嫌味だ。今朝顔を洗うときに見た自分の顔には、修羅場《しゅらば》でもないのに立派なクマができていた。

「なんだか疲れているようだな」

しれっとした顔で応じる黒田は、今夜も元気そうである。定期的な献血のおかげか、吸血鬼とは思えない肌の艶だ。

「昨日の対談で精神が疲労したのもありますが、寝不足もあります。なにしろ午前二時まで、今居さんの愚痴《ぐち》大会につきあいましたからね……。なんでもマンガ編集になってから、彼氏にも振られ、高い入会金を払ったスポーツクラブにも行けず、体重は五キロ増えてジーンズが入らなくなったとかで」

「バラバラのせいで?」

「いえ、バラバラ先生は……違う、薔薇原先生は滅多《めった》に締切に遅れることもない、優等生だそうですよ。ふだんはとても折り目正しいのに、昨日は様子がおかしかったと心配してましたね。あの先生、本当にマンガが大好きで、家の床はマンガで抜けそうだと……まあ、僕のところも似たようなものですが」

「あいつには近づくな」

いきなりの命令形に、藍は「は?」と口を開ける。

「どうしてです？」

「言っただろう。奴はダムピールだ」

「はあ。だけど僕は吸血鬼じゃありませんから、なんの心配もないですし」

「私に敵意を持っているんだぞ？　しかもあいつのおまえを見る目ときたら……なにも感じなかったのか？」

「感じるって？」

なにをどう感じればよかったのか。藍にはさっぱりわからず、首を傾《かし》げるしかできない。

黒田は苛《いら》ついた口調で「鈍い」と一刀両断する。

「あいつはおまえを自分のものにしたいのだ」

「担当替えですか？　無理ですよ、編集部が別ですから」

「そういう意味じゃない……いや、そういう意味も入っているのか……編集者としてのおまえもずいぶん買っていたようだしな……」

「編集者として以外になにがあるっていうんですか」

書斎の椅子に腰掛けたまま、黒田は大袈裟《おおげさ》に顔を手で覆って「鈍すぎる……」と嘆息した。一方の藍は突っ立ったままだ。

「いいか。まず、バラバラは私の溢れる才能と爆発的人気を嫉妬《しっと》し、ねたんでいる」

「……よく自分で自分を、そうはっきり誉められますねえ」

「事実をそのまま言ったまでだ。奴は私が手にしているものがすべて羨《うらや》ましい。才能、永遠の時間、それから熱心なオタク担当者」

オタクは余計だよと思ったが、間違っていないので黙っておいた。

「加えて、バラバラはおまえが私に血液を提供していることを知っている」

「え……な、なんで？」

「血を吸っている者と吸われている者の関係は匂いでわかる。血と体液を交換するせいで、同じような匂いになるのだ。もちろんかすかな匂いだから、普通の人間には感じられない。だが奴にはわかるし、私がどんな方法でおまえから採血しているかも――気取《けど》られているぞ」

ここへ来て、鈍い藍にもようやくわかってきた。つまり、薔薇原は藍と黒田が性的な関係を持っていることも承知だというのか。一気に頭に血が上り、オーバーヒートでくらくらした。睡眠不足も祟ってか、本当によろけてしまったので、黒田が立ち上がり支えてくれる。

「……うそ……そんなの、ありですか」

「吸血鬼は性愛の対象を異性に限定しないが、ダムピールも同じ傾向がある。つまり両刀だ。対談のあいだじゅう、おまえをチラチラといやらしい目で見ていただろうが」

「ぜんぜん気がつきませんでした……」

「眼鏡の度を上げるべきだな。とにかく、バラバラには近づくな。……おまえは、私のものなのだから」

「ちょ、なにするんです」

近づいてきた顔を押しのけ、藍は黒田と距離を取る。

「僕はべつに誰のものでもありませんよ。そりゃ、先生とは約束したから献血はしていますが、だからといって先生のモノとか言われるのは困ります」

「なにが困るのだ」

「あのですね、僕にだって都合や事情ってものがあります。薔薇原先生とだって、仕事上で必要があればお会いしますよ」

「必要ない。今居とかいう編集者がいるし、万一おまえが異動だの担当替えだのになったら、私は『ゴスちゅる』の連載を休止してでも阻止するぞ」

「いいかげんにしてください。我が儘にもほどがあります」

さすがの藍も、呆れかえる気持ちが顔に出てしまった。

「僕はまだまだ編集者として勉強中の身です。すぐではないにしろ、今後べつの編集部に異動になる可能性は大きいし、それは自分にとっても必要なことだとも思っています。一生、先生の担当をしているわけにはいきません」

「……そうか。そんなに私の担当はいやか」

「誰もそんな話してないでしょう？　僕がどれだけ『ゴスちゅる』が好きなのか、先生だってよくご存じのはずです」

「知っているとも」

向かい合わせで立っている黒田がくぐもった声で言った。

いつもは傲慢なほど自信に溢れている瞳が、ほんのわずかばかり、不安げに揺れたように見えたのは——藍の気のせいだろうか。

「……おまえにとって大切なのは、いつだって作品だ。『ゴスちゅる』だ。そのためなら、血液だって差し出す」

咎《とが》める口調に、さすがの藍もカチンとくる。

「あなたがそうしろと言ったんだ」

いったいなにが悪いというのだ。

黒田は血を欲しがった。藍は作品が欲しかった。ギブアンドテイクではないか。責められる謂れなどない。

「それに、僕は『バンパイアハンター融』の愛読者でもあります。薔薇原先生がダムピールだからって、あるいは僕たちの特殊な関係がばれてるからって、薔薇原先生を敵視するつもりはさらさらありません」

「いいか？　おまえは狙《ねら》われているんだ。ダムピールは普通の人間より狡賢《ずるがしこ》い。どんな手を使ってくるかわからないぞ」

「大袈裟な。薔薇原先生はそんな方じゃありませんよ」

「おまえの身を案じて言ってるのがわからないのか」

「はいはい、ご心配ありがとうございます。……そうですよね。僕になにかあったら、新鮮な血液が得られなくなって先生だって困りますよね」

黒田が押し黙る。

嫌味交じりのセリフを、藍は言ってしまってから少し後悔した。どうしたんだろう、今日の自分は少しおかしい——きっと黒田の苛つきに引きずられているのだ。こんなことではだめだ。マンガ家と編集は関係が悪くなると、仕事に大きな支障を及ぼす。

「……すみません。失礼なことを言いました」

口調を改めて、頭を下げる。謝るのはタダだ。編集なんて頭を下げてナンボだ。いくら謝ったって痛くも痒《かゆ》くもないはずなのに、胸が締めつけられるのはなぜだろう。

「……なぜ謝る。間違ってはいない。おまえの目的が私の作品であるように、私の目的はおまえの血液だ」

「薔薇原先生に関しては、ご助言を考慮させていただきます。基本的には僕が直接関わることは少ないと思い……」

言葉の途中で、藍は胸元に手を当てる。ポケットにしまっていた携帯が震え出したのだ。すでに時刻は夜の十時だが、編集者もマンガ家もまだまだ活動時間帯である。

失礼します、会釈をして電話に出る。

「もしもし……はい。ええ、黒田先生のところです」

編集長である落合《おちあい》が『ちょっと困ったことになってね』と言う。

「え……今居さんが倒れた……?」

執務椅子に腰掛け、すでに背中を向けていた黒田の肩が、ぴくりと反応する。だがこちらを振り向くことはない。編集長の話では、今居は残業中突然の腹痛に襲われて、緊急入院となったそうだ。こうなってくると対談企画についてはすべて藍が取り仕切らなくてはならない。

今居の入院先を手帳にメモし、電話を切る。

「本日はこれで失礼いたします。また連絡を入れさせていただきますので」

一礼して、静かに書斎を辞した。黒田は最後まで、なにも言わなかった。

扉を開けると、黒猫姿のケイトがちょこんと座っている。

小首を傾げた姿に「喧嘩しないでくださいね」と言われているような気がして、藍は弱々しく苦笑するしかない。

喧嘩などしてはいないし、するつもりはない。黒田瑞祥は編集部にとって大切な作家だ。

原稿のためならば藍はなんだってする。

悔しいとも悲しいとも思わない。仕事なのだ。感情的になってはならない。

けれど、自分にそう言い聞かせている時点で、すでに感情に振り回されているのだ。それが情けなくて、藍は唇を噛みしめる。

それから五日後の、ことさら寒い晩秋の夕刻――藍は薔薇原の自宅に赴《おもむ》くこととなった。対談記事のゲラを持参し、最終的なチェックをしてもらうためだ。今居がいないのだから、藍がやるしかない。

「なんだか、申し訳ないです」

薔薇原が礼儀正しく頭を下げる。

「野迫川さんは僕の担当どころか、違う雑誌の編集さんなのに……」

「いえ、気になさらないでください。対談記事は『ジージンタ』に載るんですから、当然私の仕事のうちです」

「今居さん虫垂炎《ちゅうすいえん》だったんですよね。手術は無事に終わりましたか？」

「はい。退院も近いと聞いています。先生にはいろいろとご心配をおかけしました」

頭を下げると「とんでもない」と恐縮する。今居の言っていたとおり、ふだんはとても感じのいい人柄なのだ。

「コーヒー、大丈夫ですか」

「あ、お構いなく」

「どうぞご遠慮なく。僕はミルクをフォームして入れますけど、野迫川さんは？」

「では同じでお願いします」

答えながら、藍は薔薇原の部屋を見回していた。

編集者にはありがたい、駅から近いマンションの一室、間取りは1LDKのようだ。シンプルで広いリビングは半分が接客スペース、残りがワークスペースになっていて、壁面は本棚で埋め尽くされている。ドアが開いたままなので寝室の中がうかがえるが、やはり壁面は本だらけ――藍の自宅と似たようなものだ。つい好感と仲間意識を持ってしまう。

「はい、どうぞ」

「ありがとうございます。あ、これ、『ゴスちゅる』の全サですね」

藍の前に出されたのは、半年ほど前のフェア用に製作した、チュルのイラスト入りマグカップだった。薔薇原はやや俯《うつむ》き加減に照れくさそうな顔を見せ、「どうしても欲しくて」とシュガーポットを置く。

「ちゃんと為替《かわせ》買って、本名で応募したんですよ」

「今居に言っていただければ、お渡ししましたのに」

「だめですよ、そんなの。他の読者のみなさんと同じようにしなくちゃ」

真面目な姿勢に心を打たれる。丁寧に入れられたコーヒーはやや濃いめでミルクのフォームとよく合い、とても美味だった。

コーナーソファで斜めに向き合って座ると、薔薇原は改めてぺこりと頭を下げた。

「このあいだは……本当にすみませんでした。きっと黒田先生怒ってたでしょうね」

「いえ、さほど気にしてらっしゃいませんよ」

大嘘であるが、ここで本当のことを言ってもいいことはひとつもない。ちょっとした言い争いになって以来、黒田には一度電話をしたきりだ。今回の対談の内容をファックスし、そのチェックをしてほしいと頼んだ。黒田は冷たい声で、興味もないし、チェックの必要もないと言った。

——おまえがよしとするなら、そのまま載せればいい。

いろいろ難癖をつけてくるのを予想していただけに、気抜けしてしまった。

同時に、黒田を怒らせてしまったのだと覚《さと》る。今までなら二日と置かずに呼びつけられていたというのに……もう五日もあのお化け屋敷に赴いていない。もっとも、呼ばれなくても締切が近くなれば押しかけるつもりである。

「僕はきっと黒田先生が羨ましくて、あれこれ難癖つけてしまったんだと思います。だめですね、精神的に未熟なんだ」

「いえ、そんな……こう言ったらあれですが、黒田先生も一筋縄《ひとすじなわ》の方ではありませんから」

それはそうかもね、と薔薇原が笑う。

「野迫川さん。僕のこと——黒田先生から聞きましたよね?」

思わせぶりな上目遣いが藍を見た。

「……あの……それは……」

「僕のマンガは、全部が虚構ではなく、僕自身がモデルだということです」

今度は顔が上がり、真《ま》っ直《す》ぐな視線で口にする。眼鏡の奥の瞳は、光の加減でこの前よりさらに茶色く見えた。藍もしっかりと目を見て「はい」と答える。

「ダムピール……吸血鬼を退治する者だそうですね」

「そのとおりです」

「……単刀直入におうかがいします。薔薇原先生は黒田先生を退治するおつもりですか」

眉ひとつ動かさず、薔薇原は「ええ」と答える。

「時の流れから外れた魔の存在は——消去すべきです」

藍は言葉を失った。瞬《まばた》きすら忘れて薔薇原を凝視《ぎょうし》する。薔薇原も藍から視線を逸らさなかったが、しばらくの沈黙のあと、いたずらめいた顔でプッと笑い出した。

「冗談ですよ、冗談。野迫川さん、なんて顔してるんですか」

「じ……冗談……?」

ええ、と薔薇原はソファに背中を預け、リラックスした表情になった。

「ダムピールなんてね、普通の人間とそんなに変わらないんですよ。ときどき吸血鬼の血が強く出て、身体能力が高くなる人もいるみたいだけど、僕はごく普通の範囲だし。寿命だって人間と同じ。……ただ、吸血鬼を見破る力と、彼らに対する知識を持っているというだけです。黒田先生みたいに力の強い吸血鬼に手出しをしたら、僕のほうが危ない」

「そ、そうなんですか」

藍もやっと肩の力を抜く。一瞬、どうしようかと思った。薔薇原は結構演技派らしい。

「でも、なにか特別な方法があるんでしょう？　ほら、先生のマンガでは、主人公の融が銀のナイフを使うじゃないですか」

「聖水を振りかけた銀のナイフですね」

「そう。心臓を突かれると、吸血鬼はあっというまに融解してしまう……ああいうアイテムって実際はないわけですか？」

「あれはフィクションですから……。実際はそう簡単でもないんです。それに、黒田先生は退治する必要ありませんよ。人間に危害を加えているわけじゃないんでしょう？」

「ええ。僕は献血をしていますが、合意の上です」

「……献血、か。ものは言いようですね」

クスリと笑い、薔薇原は自分の首すじあたりを指で示した。

「でも、血を吸われるのに抵抗ありませんか？　痛いでしょう、あれ」

痛いというより、痛いだけではないところが問題だ。藍は慌てて俯き、コーヒーを飲みつつ「まあ、慣れてきますから」と答える。

「それに、僕の血で英気を養ってもらい、『ゴスちゅる』がいい作品になるなら構いません」

「すごい編集魂《だましい》ですね……いいな。黒田先生が羨ましいです。野迫川さんのような編集者に巡り会えて、黒田先生は幸せです」

「そんな。まあ、その……仕事ですし」

「でも、すごく強い信頼関係がある」

「そうかなあ……こう言ったらなんですけど、いまだによくわからないですよ、黒田先生のこと。なにしろ吸血鬼の知り合い、初めてだし……」

喋りながら、視界が妙にかすむのに気がつく。疲れが目に来ているのだろうかと、藍は何度か瞬きをした。

「でも……気をつけたほうがいい。吸血鬼は嘘つきだから」

薔薇原の声がわずかに低くなる。

「嘘つき？」

「自分のお気に入りができると……つまり、美味《おい》しい血を持つ人間に巡り会うと、その人間を殺さないまま、我がものにしようとするんですよ」

視界のかすみがなかなか取れなくて、藍は眼鏡を外して目を擦《こす》った。気怠《けだる》さもますます募《つの》り、身体全体が熱っぽい。風邪でもひいたのだろうか。

「ずるいんですよ、吸血鬼は……永遠の命を持ち、人間を狩り、ときに支配しようとする。黒田先生は作品を餌《えさ》にして、野迫川さんに生き血を要求する」

しかも、血だけじゃない……ぼそりと薔薇原がつけ足した。意味するところを察して、藍は返答に困る。

「野迫川さん。本当に今のままでいいんですか?」

「いいというか、仕方ないというか」

なんだかとても怠くなってきた。

こんなことではだめだと、再び濃いコーヒーを啜る。

「野迫川さん。さっきの話ですけどね」

「……」

「野迫川さん?」

「あ、はい」

いよいよおかしかった。薔薇原の声が遠くなったり近くなったりと安定しない。

「吸血鬼を退治する方法、実はあるんですよ。やっぱり銀のナイフが必要でね」

「え……」

コトリ、と音がする。

覚束《おぼつか》ない視界の中、藍はテーブルに置かれた銀のナイフを見る。二十センチほどの長さだろうか。柄《え》の部分にはなにやら細かい模様が施され、アンティークめいた品物だった。

薔薇原がナイフを撫でる。口元が笑っているように見えるのは、気のせいだろうか。

「でも、誰が刺してもいいってもんじゃないんです。条件があってね。……野迫川さん、立ってくれますか?」

無理です、目眩《めまい》がして動けません——そう断るつもりだったのに、藍の脚はなめらかに動き、すっくと立ち上がる。

立とうという意志など、まったくなかった。

なのに身体はやたらとスムーズに動く。薔薇原も立ち上がり、ローテーブルを押しのけて藍の前に立つ。距離が近い。薔薇原の目がすぐそこにある。

「僕の目を、見て」

茶色の中で、金の虹彩《こうさい》がチラチラと光る。見つめるつもりもないのに、そこから目が離せない。

身体がふわふわして、自分自身をコントロールできない。

「右手を上げて。ゆっくり……そうです」

腕が薔薇原の指示どおりに動く。

左手、と言われればそちらも動く。もはや藍の身体は操《あやつ》り人形と化していた。

「野迫川さん、おとなしそうに見えて意志のしっかりした方だから、少しだけ薬を使わせてもらいました。ふだんなら僕の力だけで操れるんですけど……。ええ、ダムピールにも、少しは特別な能力が備わってるんですよ」

薔薇原は藍の顎に指をかけ、上向かせる。

指先が頬や鼻筋、唇をゆっくり辿った。間近で触れられるのは気色悪いが、抵抗どころか肩を揺らす程度のこともできないのだ。

「……野迫川さんって、綺麗ですよね。吸血鬼ってのは、どうしてこう面食いなのかな」

呆れたような口調で呟く。

「可愛がられてるんでしょう？　吸血鬼は性欲が強いですからね」

ぎくりとして、ほんの少し身体が揺れた。だがそれ以上は動けない。

ふいに喉元が楽になる。薔薇原が藍のネクタイを緩め、するすると外しているのだ。なにをするつもりだ――と問いただしたいのに声すら出ない。

「奴らは呆れるほど享楽的《きょうらく》なんです。寝る相手は女も男もお構いなし……どうもそのへん、半分吸血鬼の血を引いてる僕にも遺伝したらしくて……ああ、少しくらい声が出るようにしてあげましょう。僕もつまらないから」

ぱちん、と薔薇原が指を鳴らす。

「う……あ……」

藍の声帯がいくらか自由になったが、言葉を紡《つむ》ぐまでには至らない。必死に声を出そうとする藍を眺めて不気味に笑い、薔薇原は「さあ座って。そのまま横になりましょうか？」とソファの座面に誘う。藍は自分でもいやになるほど素直に横たわってしまった。

「楽しもうよ、野迫川さん」

見下ろされ、眼鏡を外された。ぞわりと鳥肌が立つ。

「い……い、……やっ」

いやだ、やめろという言葉を探して懸命に舌を動かすのだが、身体はちっとも藍の思うとおりにならない。シャツのボタンを外され、薔薇原の手が素肌を彷徨う。

「……吸われた痕《あと》、だ」

首すじにうっすら残る痕に顔を寄せ、くんくんと匂いを嗅《か》がれた。

「あいつの匂いがしますね。……でも僕に抱かれていくうちに消えていきますよ」

鬱血《うっけつ》した箇所をべろりと舐められて鳥肌が立つ。快楽からではなく、嫌悪感の反応だ。同じことを黒田にされると腰が抜けそうになるというのに——相手が違えば吐き気すら催《もよお》す。

「や……め、ろ……」

「おっと。すごいな、喋れるんだ？」

「こ……こんな……くろ……許さ……」

「こんなことしたら、黒田先生が許さない？　ええ、そうでしょうね……」

「……いっ……！」

藍の乳首を爪で引っ掻き、薔薇原が上半身を浮かす。

「う、う……あっ……」

ぎりぎりと抓《つね》られ、痛みに身を捩る。痛覚があると、いくらか自分の身体が認識できる。必死に精神を集中させ、藍は自分の右手を動かした。薔薇原の肩を掴み、なんとか遠ざけようとするのだが、嗤《わら》いながら再び押さえつけられてしまう。

「頑張るなあ、野迫川さん。あなたのそういうところ、僕はすごく好きですよ。……ねえ、知ってましたか？　あの吸血鬼が消滅したら、奴に関する記憶も綺麗に消えます。作品すら残らないんです。コミックスは真っ白になり、アニメの時間には別の番組が放映されている……きっと清々《せいせい》すると思うんですよ」

あんな作品、なくなっちまえばいいんだ——薔薇原は悔しげに呟く。

「そうしたら、今度は僕の担当になってください。恋人で、担当者で——きっと僕たちはうまくいくと思います。ふたりとも、マンガに対して真摯《しんし》な愛情を持っているし……」

いやだ。冗談じゃない。

こんな卑怯な真似をする奴の担当者なんか、ごめんだ。『ゴスちゅる』が消えるなんて、黒田が消えるなんて許せない。

「もうすぐ、あの吸血鬼はいなくなります」

どういう意味だ——薔薇原の目を、自分の意志で見つめて藍は問う。藍の上にのしかかったダムピールは、耳の下から首すじに唇を這わせながら「秘密を教えてあげましょうか」と囁く。

「吸血鬼を消滅させる唯一の方法——正統なる銀のナイフは、その吸血鬼が愛した者が持つときだけ、威力を発揮する。……つまり」

ひた、と薔薇原の指先が藍の額に当てられる。

「奴を殺せるのは、奴に愛されているあなただけなんですよ」

愛されている？

違う、愛などではない……ただの契約だ。原稿と血液の交換条件だ。愛なんかない。

心の叫びが目に現れたのだろうか。薔薇原が「自覚がないんですね」と嗤う。

「黒田先生も、ずいぶん鈍い恋人をお持ちだ。大丈夫、僕はちゃんと言葉にして伝えてあげますから。……さあ、汝《なんじ》、吸血鬼に愛される者よ。その手で憐《あわ》れな亡者を灰に還せ。神の加護ある銀のナイフによって、彷徨える者に永久の安らぎを与え、忘却の河に流せ——」

なにを、言っているのだ。

藍が黒田を殺すはずがない。そんなことができるはずがないではないか。

だって、藍は……藍は、黒田を——。

「怯《おび》えた顔が、すごくいいな」

薔薇原が笑い、ベルトが外される音がする。

この男に辱《はずかし》められるのかと思うと涙が滲《にじ》むほどに悔しかった。なのに藍の身体は動かない。満身の力を込めても、弱々しい腕が藻掻《もが》く程度で、薔薇原はむしろそれを愉しんでいる。

「大丈夫。気持ちよくしてあげますから……ねえ、野迫川さ……」

いやらしい声が中途半端に止まり、ものすごい破壊音が重なった。

窓ガラスが割れたのだ。嵐のような風が吹き込んできて、積み上がった本は崩れ、床のラグですら捲れ上がり、紙の類は木の葉のように舞い散る。

薔薇原の頬に血が流れた。

飛んできたガラスで切れたのだ。ソファの周りは透明な破片だらけになっているのに、藍にはひとつの破片も当たってはいない。

「——そこから退《ど》け」

凍るような声が、吹きすさぶ風の中から聞こえる。

薔薇原は頬から血を流したまま、口元を歪《ゆが》めて嗤った。この展開を予想していたかのような表情に、藍の中で不安が膨らむ。

「これはこれは……やっとご登場ですか、黒田先生」

「退けと言っている。私に喧嘩を売るとはいい度胸だな、ダムピール」

「そんな怖い顔をしなくても退きますって。……さあ、野迫川さん、あなたの吸血鬼が迎えに来ましたよ。立ってあげなさい」

ボタンのすべて外れたシャツを羽織ったまま、藍は立ち上がった。自分の意志ではなく、薔薇原の言葉に操られている。

黒田は派手に破った窓の前に立っていた。

漆黒《しっこく》のコートの裾が、強い風に煽《あお》られている。

いつもと変わらぬ黒ずくめの黒田は、いつもよりも怖い顔をしていた。ここはマンションの七階だ。どうやって入り込んだのか想像もつかないが、この男なら空だって飛べそうな気もする。

黒田の右腕が差しのべられた。

「藍」

名前で呼ばれると、胸がツキンと痛む。

「さあ……行って」

背後に立った薔薇原が囁き、後ろ手になにかを渡された。

固い、金属の感触。ナイフだ。銀の——ナイフ。

いけない。受け取ってはいけない。

心はそう叫ぶのに、藍の手のひらは冷たい柄をしっかりと握る。

ダムピールの強い暗示に身体が逆らえない。歩き出してはいけないと必死に念じるのに、薔薇原がもう一度「さあ」と声を出せば、右足が踏み出してしまう。

いやだ。

だめだ——黒田に近づいてはいけない。きっとこの手は動いてしまう。藍の意志など無視して、銀のナイフを心臓に突きつけてしまう。そんなのは、いやだ。

黒田が消えてしまうなんて……いやだ。

藍は次に出るべき左足を、渾身《こんしん》の思いで留める。なのに黒田は「藍、早く来い」などと狂おしい美声で呼ぶ。

脚は動いてしまう。

吸血鬼のもとに、吸い寄せられるように。

「藍……?」

美しい吸血鬼が藍を見つめていた。

かすかに眉が寄せられ、勝手に動く藍の右手を見る。握られた銀のナイフを認識したとき、双《そう》眸《ぼう》が見開かれる。このナイフが自分を滅ぼすものだと、黒田は知っているのだ。

「……あ……」

震えながら、藍の手が上がっていく。止められない。どうしようもない。頼むから、逃げてくれ……僕を突き飛ばして逃げて。そう願うのに、黒田はその場に立ちすくんだままだ。

一歩たりとも退こうとはしない。

それどころか――藍を見つめて、かすかに微笑んだ。

「……そうか」

ベッドの中でしか聞かないような、甘く優しい声を出す。

「おまえがそのナイフを得たか……そうか……」

長い指が藍の頬を愛おしげに撫でた。

「私の旅も、やっと終わるのか……」

呟きが、藍の胸に突き刺さる。

チュルのセリフが、胸の奥で再生される。吸血鬼少女のせつなる願いが。

——与えられた時間が長すぎるのはつらいの。永遠の時間はすでに時間ではないし、終わりがない旅は旅にならない。なんにでも『終わり』は必要なの。『終わり』は悲しいけれど、なくてはならないものなの……。

ときに永遠は、絶望に似ている。

終わりがないというのは、救いがないのに似ている。

黒田は終わらせたいのだ。果ての見えない長い旅を、もう終わらせたいのだ。

「心臓はここだ」

指先でトン、と自らの胸を示す。

「躊躇うことはない。もうしばらくおまえと時を過ごしたい気もしたが……それは贅沢《ぜいたく》というものだろう。……ああ、灰になる前にひとつだけ言っておこうか」

ふわりと黒田の顔が近づき、触れるだけのキスがひとつ、唇に落とされた。

「感謝している」

吐息が甘く香る。

「ここしばらく、自分でも意外なほどに仕事が楽しかった。退屈だった日々に、新しい風が吹いて心地よかった。……藍、おまえはオタクではあるが、優秀な編集者だ。きっとこれからも、いろんなマンガ家と名作を世に出していくだろう……頑張れ」

藍の目から、涙が零れる。

黒田の言葉が嬉しかった。そして、悲しかった。

これからのことなんか、まだ考えられない。他のマンガ家のことなんか、今はどうでもいい。

『ゴスちゅる』はどうするんだ。

黒田瑞祥は、どうするんだ。

まだ連載の途中だ。新章に入ったばかりだ。読者は待っているのだ、チュルとショータの新しい冒険を。読者ばかりではない。誰よりも藍が、黒田瑞祥というマンガ家を渇望しているのだ。

失いたくないのだ。

なのに藍の手は、ナイフを振りかざしている。

黒田は微笑んだまま待っている。銀のナイフが己を貫くのを……静かに待っている。

藍の右手は力が入りすぎて、腱《けん》の筋が浮き上がっていた。

限界だった。もう、止めていられない。

唐突に風がやんだとき、藍は煌《きら》めく銀のナイフを振り下ろした。

力の加減はできなかった。

唯一、全身全霊を込めて——ナイフの行き先だけを、変えた。

黒田の目が見開かれる。

血の匂いが——黒田の執着する血の匂いが、暗い部屋に漂《ただよ》う。

「……藍……?」

藍は突き立てたナイフの柄を握ったまま、ヒッと詰まった呼吸をした。その刃先は瑞祥の胸でなく、藍自身の大腿《だいたい》に突き刺さっている。

「で……でき、な……」

やっと声が出る。

強い痛覚が藍の身体を藍の意志のもとへと呼び寄せていた。ダムピールの呪縛《じゅばく》が解けたのだ。

「できない……先生を、消すなんて……僕に、は……できな……」

「藍！」

膝が折れ、その場に崩れる。完全に沈む前に黒田に抱き留められた。蒼白な顔が、何度も藍の名前を呼んでいる。

「ごめ……な、さい……」

「な……なにを言ってるんだおまえは……っ。しっかりしろ！」

「あなたの願い……叶えてあげられな……」

ふと、スクリーンの前に立つ黒田を想像した。

いくつもの終わりゆく映画を、ただ見ているだけの黒田。さみしげな傍観者の横顔。

長すぎる永久を、ひとりで旅する吸血鬼——ときにコミカルな『ゴスちゅる』の根底には、ほとんどの読者が気がつかないさみしさが漂っている。それは黒田が意識して折り込んだものではない。作品から滲み出てしまう黒田瑞祥の個性であり……彼自身のさみしさなのだ。

「藍！」

喋るのがつらい。

意識が霞んでしまうのは、出血のせいなのだろうか。

「チッ……誤算だな」

薔薇原が悔しげに吐き捨てるのが聞こえる。

「おかしな男だ。自分につきまとい、血液を奪う吸血鬼を消すチャンスだったというのに……気が知れない」

「――黙れ」

藍を抱いたまま、黒田は唸《うな》るように言う。

「まあ、変に意志の力が強いことは確かだね。……ナイフをあんたの心臓じゃなくて、自分の脚に突き立てるなんてさ」

「黙れと言っているだろう……ダムピールめ」

軽々と藍を抱き上げたまま、黒田が立ち上がる。

大腿部のナイフは刺さったままだが、痛みというより熱を感じていた。ナイフの刺さった部分だけが熱くて、身体全体はぞくぞくと寒気がしてくる。

「……なんだよ。あんた、さっきまでは僕に感謝してもいいくらいの気分だったはずだろ。いいかげん生きてるのに飽き飽きしてたじゃないか。そいつの手で無に戻りたいと思ってたくせに」

「うるさい！」

黒田が叫ぶと同時に、大きなガラスの破片がいくつも浮き上がり、薔薇原めがけて真っ直ぐ、空を切り裂くように走った。せっぱ詰まった悲鳴が聞こえ、藍は痛みを堪えて「だめ」と掠《かす》れ声を出す。

「殺しちゃ……いけな……」

「——わかっている。おまえの前で殺したりはしない」

黒田の声は不服そうだったが、確かに殺してはいなかった。

壁に背をつけて身を縮める薔薇原の周囲に、破片がグサグサと突き刺さっている。だが薔薇原自身を傷つけてはいない。

ただひとつ、鏃《やじり》のように尖《とが》った破片がひとつだけ、いまだ宙に浮いていた。

「よく聞けダムピールの小僧」

それはじわじわと薔薇原に近づいていく。

「おまえなど、いつだって殺せる——おまえに限らず、ダムピールなど私の敵ではない。うるさくたかる蠅《はえ》のようなものだ。軽く振り払ってどこかに消えれば追わないが、もしそれ以上の真似をしでかすのならば、遠慮なく消す」

「ヒッ！」

ガラスの鏃が薔薇原の眼前まで急接近し、止まる。

「二度と藍に手を出すな。消えろ」

もう数センチで眼球に突き刺さりそうな破片を前に、薔薇原はガクガクと頷いた。約束する、二度と手は出さない——そんなことを言っていたようにも思えるが、朦朧《もうろう》としてきた意識は音を明確に捉《とら》えてくれない。

少しずつ、視界が狭くなる。

いつ目を閉じてしまったのかわからない。布の翻《ひるがえ》る音が聞こえて、冷たい風を感じた。澄んだ空気が胸の中に入ってくる。

吸血鬼って、飛べるんだっけ……。

薄れていく意識の中で、そんなことを考えた。真っ黒いマントではなく、コートを靡《なび》かせて黒田は冬の夜空を翔《かけ》るのだろうか。

見てみたいのに、目が開かない。

脚は痺れて、もうなんの感覚もなくなっていた。

「ケイト、そこをどいてくれ」

「ミギャッ！」

黒田のベッドで丸くなっていたケイトが、黒猫姿で鞠《まり》のように跳ねる。

ぐったりとしている藍を見て驚いたのだろう、床の上をぐるぐると旋回していたかと思うと、やおら人間の姿に変化した。

「野迫川さんっ？　どっ、どうしたんです！」

返事をしてやりたかったが、ちょっと無理だった。意識は戻ったが、まだ朦朧としている。藍はしっかりとお姫様抱っこされたまま寝室に運び込まれ、慣れたベッドに横たえられた。

「説明はあとだ。ハサミをくれ。それから応急セット」

「応急セットなんかうちにはないですよう」

「もらいものが箱ごと納戸《なんど》の奥に突っ込んであるはずだ」

「あっ、はいっ」

黒田にハサミだけ渡し、ケイトがバタバタと納戸へ走る。すでに血まみれになっているスーツのスラックスは切り裂かれ、脚が剝き出しになる。

銀のナイフはまだ刺さっている。

自分の脚からそんなものがにょっきり出ている光景はなんとも奇妙だ。

黒田が脚の付け根をしっかり押さえて、ナイフを抜こうとする。

途端に今まで忘れていた痛みが蘇《よみがえ》り、藍は「ぎゃあ！」と叫んだ。ぼやけていた意識も、一気に明瞭になる。

「いいいいい、痛いッ」

「おとなしくしろ。ナイフが抜けないだろうが」

「だめですっ！　病院に連れてってくださいっ。でなきゃブラック・ジャックかコトー先生呼んでくださいッッ」

「かろうじてブラック・ジャックは知っている。だが呼べないのよさ」

珍しく黒田が言った冗談についていく余裕がない。

「痛！」

ズッ、とナイフが抜かれた。

途端に新しい血が溢れたが、噴き出すような量ではない。幸い動脈に傷はついていないようだ。それでも藍は悲鳴を上げたくなる。子供の頃から外傷に弱いタイプだったのだ。幼稚園の頃に友達が転び、額がパクリと割れて血がタラタラ流れたときには、隣にいた藍のほうが失神したというエピソードもある。

「待ってろ……すぐ血を止めてやる」

黒田が身を屈《かが》めて、藍の太腿に唇を寄せた。

「な、なにするんですかっ」

獣が仲間の怪我を癒すように、丁寧に傷口を舐める。一滴たりとも藍の血を無駄にしたくないとばかりに、何度も何度も舌を這わせ、舐め取っていく。

「い、痛いっ。そんなことしたら汚いですっ」

「おまえの血は汚くなどない」

「違いますっ。唾液には雑菌がわんさと……」

「おい。私が汚いと言うのか、失礼な奴め。吸血鬼の唾液には雑菌などいないから安心しろ。むしろ傷を癒す高い効果がある。……ほら、もう塞がってきた……」

そんな馬鹿なとは思うが、事実傷口には半透明の薄い膜ができつつある。痛みも次第に和らいできた。

「……先生、マンガ家より医者が向いてるんじゃ……？」

「私が『ゴスちゅる』を描かなくなってもいいのか」

「だめです。前言撤回します」

慌てる藍を見て、黒田がフッと笑みを見せた。

嫌味のない、優しい顔だった。こんなふうにも笑えるのかと、軽い驚きに見舞われる。

「……まったく、だから言っただろうが。奴は危険だと」

「すみません……」

「私以外の男とも寝てみたかったなら話は別だが」

「僕がそういうタイプだと思いますか」

いいや、と黒田がまた笑う。

藍が上体を起こそうとすると、そっと背中に手を添えてクッションを貸してくれた。下半身は下着だけなのでどうにも間抜けな格好だ。

「瑞祥様、ありました」

ケイトが古めかしい木製の救急箱を持って戻ってくる。

ベッドサイドに椅子を引き寄せると、黒田は製造年月日の気になるガーゼと包帯を取り出した。なかなか器用な手つきで、大腿をぐるぐると巻かれる。ふいに「そういえばミイラ男なんてのもいたな」と思い出し、実在するのかを聞いてみようかとも思ったのだが、結局やめておいた。さらりと「いる」などと答えられたら、また混乱に陥りそうだ。

出しっぱなしの耳をピクピクさせながら「痛いですか?」とケイトに聞かれる。

「もうあんまり痛くない……かな」

「瑞祥様に舐めていただいたなら、すぐ治ります。ああ、よかった」

そうあからさまに言われると、なんだか恥ずかしい。

ケイトは藍の下半身に毛布をかけながら「本当によかった。血のマリアージュが成立したんですね」と続ける。

「血の……なんです?」

「マリアージュ。吸血鬼と人間の体液交換がすごくうまくいったときに起きる現象をそう呼ぶんです。血のマリアージュが成り立つと、吸血鬼は人間から血を奪うだけではなく、今みたいに傷を癒したり、英気を与えたりできるんですよ」

「そう……なんですか？」

黒田に問うと「まあな」と視線は外して答えた。照れているようにも見えるのだが……この男が照れるなどということが、あり得るのだろうか。

「マリアージュがうまくいくことは滅多にないんです。瑞祥様は特にいろんな意味で偏屈なお方ですし、ラブに関しては臆病なところがあるので……フギャッ」

出しっぱなしの尻尾を黒田にギュッと摑まれ、ケイトが珍妙な声を出す。

「お喋りはそのへんにして、温かいものでも用意してこい」

「わわわ、わかりました」

猫耳青年が寝室から出ていくと、黒田はやれやれという顔をして椅子の背に寄りかかる。そしてしばらくまじまじと藍を見つめて、やおらに「なぜだ？」と聞いてきた。

「なぜ自分を傷つけてまで、私を刺さなかった？」

「それは……」

「私が『ゴスちゅる』の作者だからか？　おまえにとって『ゴスちゅる』は、それほど大切な作品か？」

「そりゃあ大切に決まってます。編集者にとって作品とは……」

「またか。その話はもう聞き飽きた。おまえの言い分はわかっているが、よく考えてみろ。いくら編集といえど、作品のために脚に刃物を突き立てる奴がいるか？」

「いますよ。ここに」

「だから、おまえ以外にだ」

藍はちょっと考えてみる。なかなか思いつかない。

「……過労死寸前の編集者なら、何人も知っています」

「それはまた別の問題だろうが」

椅子からベッドの端へと、黒田が座る場所を移し「いいか。よく聞け」と顔を近づける。

「——おまえは私の作品も含めて、私自身を愛しているのではないか？」

はあ？　なにそれ。いったいどういう理屈だよ。

なんで男の吸血鬼を愛さなきゃいけないんだよ。

……と、笑い飛ばそうとしたのに、藍の舌は動かない。間近で見つめられているのが苦しくて、視線を俯けたはいいが、耳がどんどん熱くなるのを止められない。

「そ……そんなわけありません」

「ならばなぜ顔を真っ赤にしている」

「だって、僕は同性愛者じゃないし……」

「後ろを突かれただけで射精できるくせに、よく言えるものだな」

「そっ、そっ、それは生理的反応です！　とにかく僕は、ただマンガが好きで、先生の作品が好きで、『ゴスちゅる』の世界を愛していて——。だいたい、先生はどうなんですっ。あれでしょっ、あのナイフは吸血鬼が愛した者が……んむっ」

力説する唇を、唇で塞がれた。藍はもう言葉を紡げない。

むきになって否定する自分を、もうひとりの自分がどこかで笑っていた。

嘘つきめ、と声がする。いいかげん認めたらどうだ。この美貌の吸血鬼に、身も心も囚《とら》われていると白状したらどうだ。

きっかけは、作品だった。最初はなんて厄介なマンガ家なのだと辟易した。

本物の吸血鬼だとわかったときは恐ろしかった。

黒田が、ではない。この得体の知れない男に、どんどん填《はま》っていきそうな自分が怖かった。

大きな手のひらが藍の頭を引き寄せ、黒田の肩口に載せられる。

つい深く息を吸ってしまった。本当にこの男は——悔しいほどにいい香りがする。

髪に口づけられながら「以前、おまえは私のものだと言ったら怒ったな？」と囁かれ、小さく頷いた。誰だって、所有物のように言われたらいい気持ちはしないと思う。

「言い方は悪かったかもしれないが、あれは正直な気持ちだ。私はおまえが欲しい。おまえのすべてが欲しい。血液だけでは足りないのだ。心も……よこせ」

唇が耳の形をなぞり「その代わり」と言葉を続ける。

「私もまた、おまえのものになろう。おまえ以外の人間から血液を奪うことはやめよう。そしておまえのために、マンガを描き続ける努力をする」

「……そんなの、だめです」

藍は答え、黒田の肩につけていた額を離した。間近で吸血鬼の顔を見上げると、黒い瞳はどこか悲しそうに揺れている。

「それが私にできるすべてだ。それでも……だめなのか？」

「そういう意味じゃありません。先生は僕のためではなくて……読者のために、マンガを描き続けてください。僕は編集者だけど、同時に読者のひとりです。僕と、他のたくさんの読者のことを忘れないでください。あなたは確かに永久を彷徨う孤独な吸血鬼かもしれないけれど……」

そっと黒田の頬に触れた。

冷たい肌だ。けれど、抱き合えば次第に熱くなっていくことを藍は知っている。

「あなたのマンガは孤独ではない。あなたの作品は愛されている。……とても大勢から、愛されているんです」

黒田の目が細められ、再び唇が降りてくる。

柔らかなキスを何度か繰り返し、吸血鬼が聞く。

「私を嫌いではないな……？」

いつだって高圧的で傲慢な声音に、今は少年のような臆病さが混じっている。藍はくぐもった声で答える。嫌いなはずが、ありませんと。

「私がマンガを描き続けている限り、そばにいてくれるか？」

「……いいえ。もしあなたがなにかの理由でマンガを描かなくなっても……それはとても残念なことだけど、でもきっと僕は——」

もうあなたから、離れられない。

語尾は掠れたが、黒田はきちんと聞き取ってくれたようだ。抱き締める力が強くなり、藍は息が詰まりそうになる。傷が攣《つ》れて痛み、小さくうめくと黒田は慌てて力を抜いた。

藍をそっと横たえて、顔中に優しい口づけを降らせる。

「おまえのために……おまえと、私を孤独から救う読者のために、ペンを執《と》り続けよう」

美しい吸血鬼が歌うように言う。藍は微笑み、自ら黒田に抱きついて口づけをねだる。今度のキスは長い。甘い吐息と、粘膜の接触音がいつまでも続き、頭も身体も溶けそうになる。

廊下でケイトがニャフーンと鳴いている。

きっと紅茶を持ったまま困り果てているのだ。黒田がキスを続けながら指を鳴らすと、床にトレイを置く固い音がして、ケイトが立ち去るのがわかる。

仕方ない。紅茶が冷めてしまうのは残念だが……今ばかりはキスのほうが大切だった。

孤独な吸血鬼はこうして愛を得て……その後幸せに暮らしたのだった。

――と、御伽噺《おとぎばなし》ならこのへんで終わってもよさそうなものだが、そうはいかない。
現実は、いつでも厳しいのだ。

「ケイト、ここに吸血蝙蝠《こうもり》の大群だ！」

「た、大群って何匹ですか？」

「千匹くらいでいいっ」

ヒィ、とケイトが声にならない悲鳴を上げる。

修羅場である。

ド修羅場である。

藍の気持ちを確認した黒田は、一時期大変ご機嫌な躁《そう》状態となり、掲載頁を増やすと自分から言い出した。藍も藍で、その頃はやや冷静さを欠いており「そうですね、頑張ってみましょうか」などと、そのまま編集長に話を通し、台割りを決めてしまったのだ。

後悔先に立たず。ご利用は計画的に。

もともと遅筆だというのに、十頁増量は無茶だった。しかもせっかくだからと巻頭カラーにしてしまった。おまけに見開きカラーだったりする。カラー部分はすでに入稿ずみだが、巻頭作品は今さら減頁ができない。編集長に「大丈夫なのか？」と確認されたとき、「任せてくださいっ」と胸を叩いた自分を、今は殴ってやりたい気分だ。

昨日から泊まり込みで、藍はろくに寝ていない。

ケイトもほとんど寝ていない。

黒田はおそらく、まったく寝ていない。

「先生、リミットまであと五時間切ってます」

「うるさいっ。わかっている！——こらっ、寝るな！」

シュビッと飛んだのは消しゴムだ。そしてそれをまともに頭部に食らって「あうっ」と叫んだのは、誰あろう薔薇原トヲルであった。

「ひ、ひどいじゃないですかっ」

「おまえがうつらうつらしてるからだろうがっ。バラの花園は描き上がったのか」

「もうすぐですっ」

「さっさと仕上げろ。人の原稿だからって手を抜いたりしたら、頸動脈《けいどうみゃく》から血抜きしたあと三枚に下ろして刺身にするからな」

黒田が言うと、なにやら冗談に聞こえないので少し怖い。

部屋の隅にある一番簡素な机と椅子で、薔薇原は『ゴスちゅる』の背景画を描いている。

「薔薇原先生、もう少しですよ。頑張ってください」

「うう……、そんな優しいことを言ってくれるのは野迫川さんだけです」

「こら、藍。下《した》っ端《ぱ》アシを励ます必要はない」

黒田がジロリとこちらを睨んだ。思っていたより、嫉妬深い吸血鬼だ。

吸血鬼狩りをし損なったダムピールは、殺されるかその土地を追放されるのが掟《おきて》なのだそうだ。

黒田は「マンガ家も辞めさせて、シベリアあたりに流す」と言っていたが、それは困る。

『バンパイアハンター融』が終わってしまうではないか。

ふたりの対談が掲載されたばかりで、両作品とも注目度がアップしているところなのだ。こんなところで突然最終回だとか、ぶつりと終わるのはもったいなさすぎる。

許してやってくれと頼んだが、黒田はなかなかウンとは言わなかった。

しかし藍は諦めなかった。編集者に必要な資質、それは執念だ。執念に支えられて、何度も説得を試みる。ようやく黒田も折れたが、いくつかの条件があった。

二度とふたりきりで藍に会わないこと——薔薇原にそれを誓約させた。魔の力が働く誓約は、違《たが》えれば腕が欠けるとも目が潰《つぶ》れるとも言われているらしい。

また、半年の間、無償で黒田のアシスタントをさせられることとなった。

そのぶん自分の仕事時間が削られるので、連載を抱える薔薇原にとってはダメージが大きいが、断れる立場ではない。そんなわけで、苛烈《かれつ》な職場でこき使われているのだ。

「……いかん。ガソリンが切れそうだ」

唐突にペンを置いて黒田が立ち上がり、大股で藍の定位置であるカウチまで歩み寄る。

「ちょ……ちょっと、先生っ、こんなところで……っ？」

「時間がない。原稿が欲しいんだろう？」

「それはそうですが」

「ならばおとなしくしていろ。……バラバラ、こっちを見るなよ」

修羅場中に限ってのみ、黒田は即物的な吸血行為をする。手早く藍の胸元を開き、首すじを舐め上げた。

「少しですよ?」

「三十CCでいい。あと五時間ぶんのエネルギーをくれ」

しょうがないなあと藍は背もたれに寄りかかる。

ベッドの中で溶かされた身体とは違うので、痛みもある程度は感じるのだが、最近は吸われ慣れてきた。無駄な力を入れず、黒田に身体を預けているのが一番楽だ。

牙が肌に少しずつ沈んでいく。

ぷつりと皮膚が破け、尖った歯が藍の血管を探す。どくどくと、命の血潮が流れる道を探し当てられ、血管が傷つけられる。

「あ……」

啜られている。

藍の血を。命の源《みなもと》を。

けれどもう怖くはない。黒田の背中に腕を回し、藍は身体の力を抜いた。いっそ授乳だと思えばいいのだ。母乳と血液の成分は似ていると聞いたことがある。おー、よちよち、と背中を撫でてやろうかとも思ったが、怒られそうなのでやめた。

こうしていると、黒田の体液と同時に、その想いが染み込んでくるようだ。

――何十年かして……ショータがおじいさんになったとき、あたしはショータよりちょっとだけ先に死にたい。

チュルのセリフを思い出す。まだふたりは【七色水晶】を見つけてはいないので、その願いは叶えられていない。けれど黒田は銀のナイフを手に入れた。正しくは手に入れたのは藍だ。藍の脚を傷つけたナイフは、黒田の手から藍に託された。私が持っていても意味はない……黒田は静かにそう言った。

吸血鬼が愛した者だけが、ナイフを使える。

置いて逝かないでほしい。

ひとりにしないでほしい。

その願いはそのまま、黒田の希望なのだろう。けれど藍は、薔薇原に操られてなお、黒田を刺すことはできなかった。旅を終わらせたいという彼の願いを叶えられなかった。

好きだから、できなかった。もっと、ずっと、一緒にいたかったから。

いつか――黒田の願いを叶えてやることができるだろうか。

いい感じの爺《じい》さんになって、もうそろそろお迎えが来るなあという頃ならば、たいがい度胸も据わっているのだろうか。いや、その前に自分の腰が立たなくなっていたらどうしよう。さらにボケていたらどうしよう。入院したりしていたら、どうなるんだ？　黒田は少しも歳を取らず、相変わらずの美男子で、真っ黒い服を着たまま見舞いに来るのか？

想像したら、ちょっと笑えた。

最初は吐息程度の笑みだったのに、なぜか笑いが止まらなくなり、どうしても身体が揺れてしまう。黒田が驚いて首すじから顔を離し「なんだ、どうした」と怪訝《けげん》な顔で聞く。

「ハハ、ハ……な、なんでもありません」

「いったいなにごとだ。血を吸っている最中に笑い出した奴は初めてだぞ」

「いや、ちょっと……いろいろ想像してたら……」

「しかもなぜ、笑いながら泣いている？」

頬に一筋流れていた涙を、黒田が舌先で舐め取る。

なぜ泣けてくるのか、藍にもわからない。少しさみしくて、けれど幸福で……なんとも不思議な気分だった。

「ねえ先生、僕がシワシワの爺さんになっても、やっぱりこうして血を吸うんですか？」

「当然だ。歳を取ったからといって容赦はしないぞ。健康管理には充分気をつけろ。……それを考えると、編集などという仕事は感心できないな」

「編集者を辞めたら、それこそ生きる屍《しかばね》ですよ」

「そう言うと思った」

「僕からマンガを奪ったら、血が不味くなること請け合いです」

「だがもし私がマンガを描かなくなっても、そばにいると言ったな？」

「言いました」

藍は黒田の唇についた赤い血を指先で拭い、自分でぺろりと舐めてみる。鉄臭い独特の味がしてちっとも甘くなどなかった。

「でも編集者を辞めたとしても、マンガを読まなくなるとは言ってませんから。そうですねえ……マンガを描かなくなった先生の前で、流行のマンガをたくさん読んで、内容をお話し、熱く語り、誉め称《たた》えます。吸血鬼モノが出てきたら、これは『ゴスちゅる』を超えてますね、なんて言うかもしれません」

「……おまえ、いい性格してるな……」

「ええ、よく言われるんです。――さあ、もうおやつはおしまい。さっさと仕事に戻ってくださ い。……あ、ほら、薔薇原先生が舟こいでますよ」

「なんだと?」

黒田が眉をつり上げて薔薇原を睨む。

その殺気だけで気がついたのか、首をカックンカックンしていた暫定《ざんてい》アシが、ビクリと目を覚まし、再びせっせとペンを動かし始めた。薔薇原の描く背景は、『ゴスちゅる』の絵柄と相性がいいようで、ごく自然に馴染んでいる。

藍は愛用の安い腕時計を見た。

残り時間はあと四時間と三十七分。

もうしばらくしたら、編集部のバイトが写植《しゃしょく》を持ってやってくるはずだ。久しぶりのぎりぎり進行である。

編集長が、印刷屋さんが、もとい全国津々浦々の『ゴスちゅる』ファンが待っている。

吸血鬼マンガ家に、アシスタントは猫男とダムピール……この現場そのものが、まるでマンガの設定のようだ。藍が担当だったら「ちょっとベタすぎませんか」とダメを出すかもしれない。

それくらいマンガチックで、常識的にはあり得ない。

でも実は——世の中は、あり得ないことばかりなのかもしれない。

ふだんは見えていないだけで、不可思議と非常識に満ち溢れているのかもしれない。雲の上でUFOがビュンビュン飛び、地下ではツチノコがモグラと出くわし、カッパはどこかで相撲を取り、狼男は月を待っているのだ。

まるで、マンガみたいに。

それでもいいと思う。そのほうが、ずっと楽しい。

あなたの読んでいるマンガだって、もしかしたら吸血鬼が描いているのかもしれない。

END

あとがき

みなさまこんにちは、榎田尤利です。『吸血鬼には向いてる職業』はお楽しみいただけましたでしょうか。

マンガ家シリーズも四作目となりまして、とうとう人外マンガ家が登場いたしました。まあ、ルコちゃんなんかも、ある意味人外に近い存在ではありますが……黒田瑞祥先生は正真正銘の人外、吸血鬼でございます。美貌にして傍若無人、締切はぶっちぎるわ、担当者の血は吸うわ、こんな迷惑なマンガ家もいないでしょう。

その手綱をしっかと握るのが、オタク編集者の野迫川藍です。

藍の台詞やモノローグには、数々のマンガへの愛が叫ばれております。みなさまはいくつおわかりになりましたでしょうか。作品名と作家名（敬称略）をここにご紹介いたします。

Z《ツエット》（青池保子）、サイボーグ００９（石ノ森章太郎）、ポーの一族（萩尾望都）、ドラえもん（藤子・F・不二雄）、ゲゲゲの鬼太郎（水木しげる）、あしたのジョー（ちばてつや）、佐武と市捕物控（石ノ森章太郎）、綿の国星（大島弓子）、チーズスイートホーム（こなみかなた）、ブラック・ジャック（手塚治虫）、Dr.コトー診療所（山田貴敏）――。

どれも名作ばかりです。ああ、マンガ大国ニッポンに生まれてよかった。

書き下ろしの『吸血鬼には銀のナイフを』にはダムピールの薔薇原先生が登場いたします。この人のマンガ『バンパイアハンター融』の決めゼリフ「バラとともに、逝け」は、自分でも校正しているときに噴き出してしまいました。いったいどういうマンガなんだろう……読んでみたいなあ。

このシリーズには、作中に架空のマンガがたくさん出てくるわけですが、それをいろいろ考えるのも楽しい作業のひとつです。今まで、読者さまから一番「読んでみたい！」というお声をいただいたのは、『愛売る』こと『愛なら売るほど』です。麗奈《れいな》パワー、おそるべし（笑）

さて、ここで過去のマンガ家シリーズをご紹介したいと思います。

一作目は『きみがいなけりゃ息もできない』（イラスト・円陣闇丸先生）、自己管理能力に乏しいマンガ家のルコちゃんと、幼馴染みで世話焼き体質の東海林《しょうじ》の物語。二作目は『ごめんなさいと言ってみろ』（イラスト・北上れん先生）、マンガ家の律《りつ》と、小説家の久々野《くぐの》、こちらは意地っ張り同士の対決です。そして三作目『愛なら売るほど』（イラスト・高橋悠先生）は、爆発的ヒット作を生み出したわりに地味なマンガ家の泉《いずみ》と、かつての同級生であり、初恋の相手でもある飴屋《あめや》のお話。

そして四作目の本作にして、はじめてマンガ家攻めとなりました（笑）。今まではずっとマンガ家受けだったのですね。

マンガ家シリーズは次の五作目で終わる予定となっております。

最後は再びルコちゃんが登場する予定です。発売は２００８年の夏以降となると思いますが、詳しいことが決まりましたら、サイトやメルマガでお知らせいたします。

今回、麗しき瑞祥先生を描いてくださったのは佐々木久美子先生です。心からの御礼を申しあげます。ケイトがまた、可愛いんだー（笑）また、担当氏をはじめ、本作の刊行にご尽力いただきましたすべてのみなさまにも、深く感謝いたします。

そして親愛なる読者のみなさま、本作をお読みいただきましてありがとうございました。

ご意見やご感想、いつでもお待ちしております。お手紙でもメールでも、ぜひお寄せくださいませ。みなさまのお声が私の支えであり、なによりの宝物なのです。


どうかまた、次の作品でお会いできますように。

それまでみなさま、お元気でお過ごしくださいね！

榎田尤利　拝
２００７年　もうすぐ梅雨明けの頃

公式サイト　http://kt.sakura.ne.jp/~eda/　ブログ　http://edayuuri.jugem.jp/

◆初出一覧◆

吸血鬼には向いてる職業　／小説b-Boy '06年10月号掲載

吸血鬼には銀のナイフを　／書き下ろし

既刊

BBN ビーボーイノベルズ BE•BOY NOVELS

SLASH ビーボーイスラッシュノベルズ B-BOY NOVELS

大好評発売中!

売り切れのときは書店に注文してね！

BBN ごめんなさいと言《い》ってみろ

NOVEL 榎《え》田《だ》尤《ゆう》利《り》

CUT 北《きた》上《かみ》れん

出版社のパーティーで出会った、少女マンガ家のリツとハードボイルド作家の久々野。初対面は最悪、再会も超バッド・シチュエーション――なじり合って罵り合って、お互いの印象はドン底だった二人だが、そんな彼らに突然コラボ企画が持ち上がった。「よりによって作風正反対のおれ達が共同作業だなんて無理無理無理無理！」と、かたくなに断ろうとしたリツだが…。皆様お待ちかねの大人気マンガ家シリーズ、オール書き下ろしで最新作登場！

BBN 君《くん》臨《りん》せよ

NOVEL 水《み》戸《と》泉《いずみ》

CUT 蔵《ざ》王《おう》大《たい》志《し》

「君が私のすべてだ」鋭い瞳の不敵な海賊レイノルズと、彼に熱愛される白皙の元海軍中尉ルーク♥ 洋上で甘く穏やかな日々を送っていた矢先、レイノルズがしばらく海賊船を降りるという…ルークの不安は的中し、レイノルズはなんと海賊の敵・海軍提督の姿で現れ!? 海賊の掟を破ったレイノルズ、さらに帝国を揺るがす巨大な陰謀の前に、ルークの愛はレイノルズに届くの!?

大ヒット海賊ラブ♥オール書き下ろし&愛あるエッチ満載♥で堂々完結!!

SLASH 情《じょう》熱《ねつ》の花《はな》は愛《あい》に濡《ぬ》れて

NOVEL 愁《しゅう》堂《どう》れな

CUT かんべあきら

「もうこんなに濡らして…君の身体は本当にいやらしいな」

エリート商社マン・花井は、精悍で傲慢なイタリア人モデル・ロレンツォの接待をする。しかしロレンツォが要求したのは花井の身体だった！「フィオーレ。また可愛い声で啼いてみようか」

毎日、ホテルや車でロレンツォに情熱的に抱かれ、強烈な快楽でトロトロにされ、身悶える花井。取引なのに、身体だけの関係なのに…次第に花井の心は切なく痛み始め!?

愁堂れな作品中で最もHで淫らなオール書き下ろし！

イラスト/不破慎理
イラスト/門地かおり
絢爛
ピンナップ&
美麗
ストーリー
カード!!
激甘な恋も
情熱的な愛も
おまかせ♥な
豪華執筆陣！
読みきり満載♥
ラブたっぷり♥
究極恋愛マガジン!!
ボーイズラブを
もっと楽しむ！
スペシャル企画も
見逃さないで！
月刊
小説
ビーボーイ
b-Boy
毎月
14日
発売
イラスト/蓮川愛
A5サイズ
Libre

ビーボーイノベルズをお買い上げいただきありがとうございます。
この本を読んでのご意見・ご感想をお待ちしております。

〒162-0825 東京都新宿区神楽坂6-46
ローベル神楽坂ビル7階
リブレ出版㈱内 編集部

吸血鬼には向いてる職業

2007年9月20日 第1刷発行

著者 ―― 榎田尤利

発行者 ―― 牧 歳子
発行所 ―― リブレ出版 株式会社
〒162-0825
東京都新宿区神楽坂6-46ローベル神楽坂ビル6F
営業 電話03(3235)7405 FAX03(3235)0342
編集 電話03(3235)0317
印刷・製本 ―― 東京書籍印刷株式会社

Printed in Japan
ISBN 978-4-86263-244-9